LE MARCHAND DE VENISE

La littérature anglo-saxonne
dans la même collection

AGEE, *La Veillée du matin.*
Emily BRONTË, *Hurlevent-des-Monts.*
Charlotte BRONTË, *Jane Eyre.*
CARROLL, *Tout Alice.*
CONRAD, *Au cœur des ténèbres. — Nostromo. — Amy Foster. Le Compagnon secret. Sous les yeux de l'Occident.*
COOPER, *Le Dernier des Mohicans.*
DICKENS, *David Copperfield.*
FAULKNER, *Monnaie de singe.*
FIELDING, *Joseph Andrews.*
FITZGERALD, *Absolution. Premier mai. Retour à Babylone* (bilingue).
HARDY, *A la lumière des étoiles.*
HAWTHORNE, *La Lettre écarlate. — Le Manteau de Lady Eléonore et autres contes* (bilingue).
JAMES, *Les Deux Visages. — Histoires de fantômes* (bilingue).
J. K. JEROME, *Trois hommes dans un bateau.*
MELVILLE, *Moby Dick. — Bartleby. Les Iles enchantées. Le Campanile. — Mardi. — Omoo. — Benito Cereno.*
POE, *Histoires extraordinaires. — Nouvelles Histoires extraordinaires. — Histoires grotesques et sérieuses.*
SHAKESPEARE, *Richard III. — Roméo et Juliette. — Hamlet. — Othello. — Le Roi Lear. — Macbeth. — Le Marchand de Venise. — Beaucoup de bruit pour rien. — Comme il vous plaira. — Les Deux Gentilshommes de Vérone. — La Mégère apprivoisée. — Peines d'amour perdues. — Titus Andronicus. — Jules César. — Antoine et Cléopâtre. — Coriolan. — Le Songe d'une nuit d'été. — Les Joyeuses Commères de Windsor. — Le Soir des rois. — Henry V* (texte original et traduction française). — *La Mégère apprivoisée* (texte original et traduction française). — *Beaucoup de bruit pour rien* (texte original et traduction française). — *La Nuit des Rois* (texte original et traduction française).
SHELLEY, *Frankenstein.*
STERNE, *Tristram Shandy. — Le Voyage sentimental.*
STEVENSON, *Le Maître de Ballantrae. — L'Ile au trésor. — Le Creux de la vague. — L'Etrange cas du Dr Jekyll et de M. Hyde.*
THACKERAY, *Le Livre des Snobs. — Barry Lyndon.*
TWAIN, *Les Aventures de Huckleberry Finn.*
WELTY, *L'Homme pétrifié.*
WHARTON, *Le Temps de l'innocence. — La Récompense d'une mère. — Vieux New York. — Fièvre romaine.*
WILDE, *Salomé* (texte français original et traduction anglaise).
WOOLF, *La Traversée des apparences.*

SHAKESPEARE

LE MARCHAND DE VENISE

Texte original.
Traduction de
Jean GROSJEAN

Préface par
John RUSSELL BROWN

Notice par
R. G. COX

GF-Flammarion

ISBN 2-08-070845-7

PRÉFACE *

* D'après l'introduction critique à l'édition Arden de *The Merchant of Venice,* par J. R. Brown, Methuen, Londres, 1955.

Il est clair que les personnages du *Marchand de Venise* peuvent être diversement interprétés : leur force de présence, leur complexité, et la tendance à les séparer de leur contexte dramatique pour les juger à la lumière d'une idée préconçue, ont amené les critiques à souligner tel ou tel de leurs aspects au détriment de l'ensemble. C'est pourquoi, après avoir essayé de voir chacun des personnages dans sa totalité, nous tenterons de les réintégrer dans l'entité dramatique dont ils sont issus.

Si on le compare au « méchant Juif » d'*Il Pecorone,* source probable de la pièce, Shylock est à peu de chose près une création de Shakespeare. Dans le modèle, les intentions du Juif sont évidentes, alors que, dans *Le Marchand,* elles sont constamment remises en question. Comme dans *L'Orateur* de Silvayn, où le Juif en quête de vengeance a pour mobile reconnu « l'ancienne et cruelle haine » qu'il porte aux chrétiens, Shylock, dès son premier soliloque, dit explicitement « Je le hais de ce qu'il est un chrétien » (I, 3. 37), et ces mots devaient évoquer dans l'esprit d'un auditoire élizabéthain des idées et des superstitions séculaires. Officiellement, les Juifs étaient interdits de séjour en Angleterre depuis le règne d'Edouard Ier ; mais en fait, à condition d'observer les pratiques extérieures du christianisme, ils pouvaient

vivre en paix à Londres et y maintenir la foi et les mœurs de leur race. Dans la décennie où fut écrit *Le Marchand,* la seule manifestation notable d'antisémitisme fut suscitée par le procès et l'exécution de Roderigo Lopez pour haute trahison ; encore est-il probable que ce sentiment était latent plutôt qu'actif, inspiré par une méfiance héréditaire plutôt que par la pensée sociale et religieuse de l'époque. En effet, les Juifs n'étaient pas pour les Anglais un peuple à redouter, mais une sorte de monstrueux et fabuleux épouvantail sorti d'un passé très ancien et de contrées lointaines. Des légendes comme celle de saint Hugues de Lincoln crucifié enfant par les Juifs demeuraient très populaires, et les Miracles du Moyen Age avaient conféré une certaine réalité à ces fictions terribles : rappelons celle, très répandue, d'une « danse grotesque exécutée par les Juifs autour de la croix de Jésus-Christ ». Dans la littérature contemporaine, le Juif était presque toujours une figure exotique, vivant hors d'Angleterre, en Italie ou en Turquie, et complotant sournoisement contre les chrétiens. Tels sont Zacharie et Zadoc, les Juifs de Rome, dans *Le Voyageur malchanceux* de Nashe (1594), et Barabas dans *Le Juif de Malte* de Marlowe. Comme il est très probable que ce dernier a influencé Shakespeare, il n'est pas sans intérêt de comparer Barabas et Shylock. Celui-ci n'a rien de l'exubérance de celui-là, ne fait point étalage de richesses fabuleuses, ne parle pas sans cesse de ses navires sillonnant les mers. Dans la pièce de Shakespeare, ce n'est pas le Juif, mais Antonio, qui est un marchand aventureux. Shylock, autant qu'on sache, est parcimonieux dans son train de maison, et hostile aux masques et aux joyeusetés, alors que Barabas se vante d'un cellier bien rempli et prétend que « le gouverneur n'est pas nourri comme lui » (IV, 6. 64). Etant dans la force de l'âge, il parle sur le ton ambitieux et sensuel de Marlowe, tandis que Shylock est vieux et s'exprime parfois avec la solennité d'un prophète de l'Ancien Testament.

Pourtant, certains traits les rapprochent. Chacun

d'eux a une fille qui le trompe et qui se convertit, et, si la conversion est une grâce, il semble que les deux auteurs aient compté sur l'approbation de leur auditoire, suivant en cela de nombreux et anciens précédents. En effet, les conteurs du Moyen Age narraient souvent en l'approuvant, si peu édifiantes qu'en fussent les circonstances, la conquête d'une belle Juive par un jeune chrétien. Shylock a aussi le même sens de l'humour que Barabas, dirigé contre les chrétiens avec un cynisme dédaigneux des conséquences. Cet humour, contrairement à celui de la plupart des personnages de Shakespeare, est dur et méchant : il fait un jeu de mots sur la damnation de sa fille et plaisante lorsqu'il s'agit de manger la chair d'Antonio. Aux yeux des chrétiens de la pièce de Marlowe, tous les Juifs sont « maudits au regard du ciel » (II, 2. 64) et Barabas lui-même est « banni du ciel » (II, 3. 159). Il porte fièrement sa réputation :

> Dites-moi, gens du monde, si jamais sous le soleil se fit plus grande fourberie ? (V, 5.49-50)

De même, dans la pièce de Shakespeare, les chrétiens ne doutent jamais que Shylock soit une franche canaille : neuf fois ils l'appellent démon, et lorsque sa haine le porte à tuer avec bestialité, ils ne trouvent aucune raison pour « excuser le cours » de sa cruauté (IV, I. 64). Shylock, comme Barabas, proclame bien haut sa méchanceté. Il refuse le quadruple de la somme qui lui est due pour réclamer la vie d'Antonio. C'est là sa résolution permanente, que sa fille lui entend exprimer à peine l'engagement signé (cf. III, 2. 283-9) ; et dès son premier soliloque, il est à l'affût d'une occasion d'« assouvir la vieille rancune » qu'il garde à Antonio. Barabas est un traître à cause de son impérialisme et de sa sensualité ; Shylock, à cause de la haine qu'il porte à Antonio le chrétien. Il ne s'ensuit pas que la pièce soit antisémite. On a remarqué que Shylock et Tubal n'y sont pas considérés comme typiques : « le démon lui-même devrait se faire Juif » dit Solanio, « pour qu'on en trouvât un troisième de la même trempe » (III, I. 65-6). Les Juifs en général ne

sont insultés que deux fois, par Lancelot le bouffon : « Mon maître est un vrai Juif ! » (II, 2. 96), et par Antonio dans la scène du jugement : et encore, c'est « *son* cœur de Juif » (celui de Shylock) qu'il attaque (IV, I. 80). En somme, Shylock est bien animé par la haine du chrétien, et ce sentiment devait réveiller certains préjugés endormis chez les Elizabéthains ; mais malgré tout, loin de le condamner sommairement, on lui donne la possibilité de se justifier.

Le professeur Charlton pense que Shakespeare a conçu *Le Marchand de Venise* comme une attaque contre les Juifs, mais qu'en l'écrivant, il a été amené à montrer un Juif humain. Quoi qu'il en soit des intentions de Shakespeare, l'humanité de Shylock est chose évidente au théâtre. Shylock est davantage qu'un monstre offert à la vindicte des spectateurs ; son point de vue est largement développé, jusqu'à gagner parfois la sympathie entière de l'auditoire. Ainsi, dans son premier dialogue avec Antonio :

> « Est-ce qu'un chien a de l'argent ? est-il possible
> Au roquet de prêter trois mille ducats ? » ou
> Dois-je me courber bas et sur un ton servile,
> D'un souffle contenu dans un humble murmure,
> Dire ceci :
> « Vous crachiez sur moi mercredi dernier, beau sire,
> Me repoussiez du pied tel jour — une autre fois
> M'appeliez chien et pour ces courtoisies
> Je vais vous prêter l'argent que voici » ? (I, 3. 116-124).

Ce premier contact avec Antonio, dont la réputation de marchand bon et généreux est déjà connue du public, n'est peut-être pas le meilleur endroit où placer un plaidoyer en faveur de Shylock ; pourtant, Antonio, par sa réponse méprisante, renforce son argument :

> Je suis capable encor de te nommer ainsi,
> D'encor cracher sur toi, d'aussi te repousser. (I, 3. 125-6).

Dans la scène I de l'Acte III, Shylock a une nouvelle occasion de se justifier : c'est la fameuse tirade « Le Juif n'a-t-il pas des yeux ?... » où il argue que, souf-

frant comme les autres hommes, il se vengera comme eux. Et cette justification s'avère si éloquente, qu'on en oublie parfois que c'est un méchant qui parle : cet apparent plaidoyer pour la tolérance (c'est sous ce jour qu'on le considère souvent), n'est en réalité que la justification d'une volonté inhumaine. Shakespeare a créé en Shylock un réprouvé qui souffre et que la souffrance pousse à bout, mais dans son extrémité il demeure le Juif qui veut tuer son ennemi, un méchant, un cynique. Et Shakespeare ne précise pas si c'est la souffrance qui cause sa vilenie ou la vilenie qui le fait souffrir. Il juge pourtant : à la fin, Shylock vaincu est forcé de se convertir. Pour lui, c'est un châtiment (de même que la menace de conversion pour le Barabas de Marlowe). Aux yeux d'Antonio, c'est aussi une chance de salut éternel pour le coupable. Nous reviendrons plus loin sur la signification de ce jugement. Pour l'instant, d'autres aspects de Shylock sont à considérer. Ce Juif est aussi un vieillard que sa fille quitte pour épouser l'homme qu'elle aime. De nombreux critiques ont pensé que Shakespeare avait voulu, par cette circonstance, renforcer notre sympathie pour Shylock. Jessica serait alors une fille sans cœur qui abandonne son père, après lui avoir volé son argent et la bague que lui avait donnée sa femme bien-aimée, pour passer sans vergogne dans le camp de ses ennemis. Et ce tort fait à Shylock expliquerait son endurcissement contre Antonio.

En réalité, Shylock ne montre jamais la moindre tendresse pour sa fille. Dans la seule scène où on les voie ensemble, il l'enjoint simplement de mettre ses possessions sous clé et de ne pas assister aux débauches des chrétiens. En tant que Juive aimée par un chrétien, Jessica a déjà les sympathies du public, que viennent maintenant renforcer ses efforts pour échapper à la tyrannie paternelle. La *Zelauto* de Munday, qui est probablement l'une des sources du *Marchand*, relate l'histoire d'une jeune fille qui résiste à son père, et tous les sentiments jouent en sa faveur : bonté, beauté, amour et bonheur, tout est pour elle. C'était là un thème romanesque très répandu. Dans la

14e Nouvelle de Masuccio (encore une source possible de l'escapade de Jessica) la fille s'enfuit avec l'argent de son père, et tout est pardonné. Dans ces deux exemples, le père est avare, ce qui fait de lui un personnage type de la comédie classique et élizabéthaine, type prédestiné à être trompé par les enfants, car « d'instinct la nature humaine préfère le prodigue à l'avare [1] ».

Le vieux Shylock, lui aussi, est un avare. Lancelot déclare qu'il « meurt de faim à son service » (II, 2, 97), Jessica que sa « maison est l'enfer » (II, 3. 2), et Shylock lui-même que l'argent est son moyen d'existence (IV, I. 371-3). Un tel personnage est une proie rêvée pour les jeunes amants, et sa fille peut le voler sans perdre la sympathie du public. Ils se rient avec Salério et Solanio des lamentations du vieillard : « Ma fille ! ô mes ducats ! ô ma fille ! » (II, 8. 15-22), car cette révélation qu'il aime l'argent plus que tout au monde est comique, comme le sont ces autres paroles de Shylock :

> je voudrais que ma fille soit morte à mes pieds, avec les joyaux aux oreilles. Que n'est-elle ensevelie à mes pieds, avec les ducats dans son cercueil ! (III, I, 74-6).

Le professeur Stoll y a vu un exemple de gradation inverse, vieille source de comique, qui consiste à « éveiller l'émotion du spectateur... pour plaquer soudain sur un sentiment en apparence pathétique un autre sentiment cynique, égoïste ou simplement incongru [2] ». Stoll est l'un de ces critiques qui ne voient en Shylock qu'un personnage comique. Il y a pourtant la même dualité chez le vieil avare que chez le Juif. Le rôle est écrit de telle façon qu'une grande part peut en être déclamée sans humour, sur le mode de l'angoisse. Pareille dualité n'est pas rare chez Shakespeare. Ainsi, dans *Henry IV,* lorsque Shallow et Silence parlent alternativement de la mort du vieux

1. W. Poel, *Shakespeare's Jew and Marlowe's Christians, Westminster Review,* CLXXI (1909), 59.
2. E. E. Stoll, *Shakespeare Studies* (1927), 312-13.

Double et du prix des taureaux à la foire de Stamford, le comique se mêle au sentiment. Certes, il y a « gradation inverse », incongruité, mais aussi l'image émouvante de deux vieillards dont l'esprit bat la campagne et qui s'efforcent de comprendre la mort. Quand Shylock apprend la nouvelle de la ruine d'Antonio, l'effet est du même ordre, quoique le ton soit différent. Au lieu d'un vieillard méditant sur le bien et le mal, nous voyons un Shylock désemparé plonger alternativement dans les deux abîmes de l'espoir et du désespoir. On peut rire du vieil avare traversé dans ses projets, mais non pas du vieillard en proie à la démence. La réaction du public est encore plus complexe lorsqu'on le voit retrouver son sang-froid et tendre toute son énergie contre l'objet de sa haine : « S'il ne paie pas, je veux avoir son cœur ! »

Mais la figure de Shylock n'est pas encore complète. Le Juif a dit : « S'il ne paie pas, je veux avoir son cœur », mais l'usurier continue : « Car une fois qu'il sera hors de Venise, je pourrai faire tous les marchés que je voudrai ! » Dans son premier monologue il a dit qu'il haïssait Antonio parce qu'il était chrétien :

> Mais plus encor de ce que, vil naïf,
> Il prête argent gratis et fait baisser
> Le taux ici, parmi nous, dans Venise... (I, 3, 38-40).

L'hostilité active d'Antonio à l'usure est ici révélée comme la raison principale de la haine de Shylock.

Si les Elizabéthains n'avaient pas conscience d'un problème juif, en revanche la question de l'usure les préoccupait profondément. Dans leur esprit, l'usure était le contraire de l'aventure, du risque productif, et ils étaient généralement d'accord pour la considérer comme un fléau, quoique certains fussent partisans de la légaliser pour la contrôler. Alors que l'Ecriture et les Pères semblaient la condamner sans ambages, Calvin, Bèze et d'autres théologiens admettaient qu'elle pût être tolérée dans un Etat moderne. Dans son essai *De l'Usure* (1625), Bacon la jugeait inévitable, et la loi anglaise, qui la qualifiait de péché et visait à sa sup-

pression, autorisait cependant jusqu'à dix pour cent d'intérêt. Les méfaits de l'usure étaient connus de tous, car l'emprunt était devenu pour beaucoup une nécessité. De grands seigneurs comme Sidney, Essex, Leicester et Southampton avaient plusieurs milliers de livres sterling de dettes, et la reine elle-même était fréquemment obligée d'emprunter aux banques continentales. Le Théâtre et le Globe, construits par la compagnie de Shakespeare (compagnie du Lord Chambellan), étaient financés par des emprunts dont l'intérêt constituait une charge permanente très lourde. Malgré les sermons, l'usure devint un phénomène de plus en plus général, et l'on s'accorda pour en tirer le meilleur parti possible [1], tout en reconnaissant que son usage illimité ne pouvait avoir que des conséquences fâcheuses. C'est pourquoi l'usurier sans merci était un objet universel de raillerie et de haine, et une figure souvent flétrie par la littérature du temps [2].

Usurier rapace, toujours prêt à ruiner ses victimes, Shylock était donc condamné d'avance par tout spectateur élizabéthain. En lui donnant cette qualité, et en argumentant pour et contre l'usure, Shakespeare ajoute une dimension au modèle qu'il trouve dans *Il Pecorone.* Dès son entrée en scène, Shylock joue le jeu de l'homme d'affaires retors : tout en faisant parler Bassanio, il attend son heure. Bassanio n'y voit que du feu, son impatience trahit sa nécessité, et il doit écouter un long discours sur les risques que court la fortune d'Antonio. Quand celui-ci arrive, Shylock poursuit son idée, toujours maître de la conversation. Le public savait qu'un usurier ne pouvait être que menteur et rusé ; aussi, lorsque Shylock offre son amitié à Antonio et propose le pacte « joyeux », ce

1. Dans son *Arraignment of Usury* (1595), Mosse déclare que c'est « un homme sans vergogne » qui sollicite un emprunt « sans offrir un taux usuraire » (C_3v).

2. L'auteur de *La Ballade de Gernutus,* qui met en scène un usurier juif, souligne que « nombreux sont les misérables tels que lui qui vivent en ce jour ».

public devait-il s'attendre au pire : on disait couramment que « l'usurier prête en ami, mais s'engage en ennemi ». Certains critiques ont pensé que Shylock désire sincèrement l'amitié d'Antonio ; mais le spectateur devait bien plutôt redouter un guet-apens. Si les navires d'Antonio arrivaient à bon port, Shylock n'avait à perdre que l'intérêt qu'il aurait pu attendre d'un placement ordinaire ; et il pouvait toujours employer un de ces stratagèmes, bien connus dans les romans, les drames, les sermons et les traités du temps, grâce auxquels l'usurier se mettait en mesure de retarder le règlement de la dette au-delà du jour fixé. Dans *Zelauto,* par exemple, l'usurier se garde bien d'être chez lui le jour où le contrat expire. Dans *L'Orateur,* le marchand soupçonne que le Juif a retardé l'arrivée de son argent « par des moyens secrets ». Shylock ne risque donc pas grand-chose en proposant le « plaisant » engagement, et même Bassanio voit le danger, tandis qu'Antonio, tout à sa générosité, est sans méfiance.

Mais de même qu'au Juif, Shakespeare donne à l'usurier qu'est Shylock l'occasion de se justifier. En alléguant l'histoire de Laban (I, 3. 72-85), il souligne que le profit inhérent à l'usure dépend toujours de « l'intelligence et de l'ingéniosité » du prêteur [1], argument qui a séduit plusieurs critiques. On dirait que Shakespeare était décidé à ne pas créer un traître de convention, capable tout au plus d'évoquer une réaction simplement hostile. Son Shylock est un personnage complexe, plein d'autorité. Quoiqu'il ne paraisse que dans cinq scènes, il est souvent considéré comme le personnage central de la pièce. En tant que vieillard et que père avare, il est comique ; en tant que Juif, il est cruel et sans merci ; en tant qu'usurier, il cherche à prendre au piège ceux qui sont dans le besoin et leur protecteur Antonio. Mais dans tous ces rôles, c'est aussi un homme qui souffre et qui triomphe, qui sait à l'occasion parler avec noblesse, et dont la volonté de

1. H. B. Charlton, *Shakespearian Comedy* (1938), 141-2.

vengeance évoque une sorte de justice primitive. Les chrétiens de la pièce sont souvent jugés en fonction de leurs rapports avec Shylock. Ainsi, Jessica est tantôt « la fille indigne d'un Juif persécuté », tantôt « une princesse captive d'un ogre ». Lorenzo, Lancelot, Salério, Solanio et Gratiano sont pareillement susceptibles d'interprétations contradictoires. Gratiano, par exemple, est pour certains critiques une brute sans cœur qui frappe un homme terrassé, et pour d'autres rien de plus qu'un jeune homme mal élevé, un peu fou et fort en gueule.

Antonio, au contraire, est dessiné avec fermeté. Bien qu'il dédaigne Shylock sans le lui cacher, il est « le bon Antonio », le « noble marchand », dont les bonnes actions sont rapportées par Shylock lui-même. Mais surtout, c'est l'ami brave et généreux de Bassanio. Dans *Il Pecorone,* le marchand est le parrain de Giannetto ; Shakespeare introduit donc un thème original en les présentant comme une paire d'amis. Bien des sonnets de Shakespeare chantent les vertus de l'amitié. A la fin des *Deux gentilshommes de Vérone,* Valentin offre Sylvia à son ami, étonnante manifestation du code de l'honneur chevaleresque. L'amitié d'Antonio et de Bassanio est du même ordre. Lorsque le rideau se lève, Antonio est en proie à la mélancolie parce que Bassanio est sur le point de le quitter, et pourtant, il met sa vie entre les mains d'un usurier afin que son ami puisse réaliser son désir. Quand Bassanio apprend qu'Antonio est en danger, il quitte sa femme le jour des noces, et se rend à Venise où il offre sa vie, sa femme et l'univers pour le sauver. Peine perdue : Antonio, qui ne « tient au monde » que pour son ami (II, 8. 50), se prépare résolument à mourir. Dans *Il Pecorone,* Giannetto offre la bague de son propre chef, mais Bassanio obéit à un désir exprimé par son ami. La bague est rendue, la pièce finit dans la joie, mais non sans qu'Antonio ait offert un nouveau gage à Bassanio, et cette fois c'est de son âme qu'il s'agit.

L'anecdote ne permet pas à Bassanio d'égaler Antonio en noble amitié : il ne peut que protester de

ses intentions. Mais Shakespeare fait en sorte qu'on ne puisse l'accuser de manquer d'égards envers son ami. Dans *Il Pecorone,* Giannetto à Belmont oublie complètement Ansaldo, dont il n'apprend le péril que par accident. Dans *Le Marchand,* Antonio déclare à Bassanio qu'il saura se tirer d'affaire tout seul :

> Et quant à ce billet que le Juif a de moi,
> Qu'il n'entre pas dans votre âme amoureuse :
> Soyez gai, ne songez qu'à faire votre cour
> Et qu'à montrer tels beaux dehors galants
> Qui vous paraîtront convenir là-bas. (II, 8, 41-5).

Nanti de cette assurance, Bassanio peut en toute conscience rester à Belmont jusqu'au moment où les nouvelles d'Antonio le rappellent à Venise.

Mais Bassanio est avant tout le prétendant de Portia, et ici Shakespeare modifie profondément la donnée d'*Il Pecorone.* Alors que Giannetto ne réussit que parce qu'une servante trahit le secret de sa maîtresse, Bassanio gagne le cœur de sa dame parce qu'il choisit le bon coffret. On l'a souvent considéré comme un vulgaire prodigue qui emprunte trois mille ducats afin de s'équiper pour la chasse à l'héritière ; mais en fait, il choisit avec discernement et épouse à bon escient. « Si vous m'aimez, vous m'y découvrirez », lui dit Portia, faisant allusion au coffret qui contient son portrait. Quand Bassanio décrit les charmes de Portia à Antonio, il cite d'abord sa fortune, en bon Elizabéthain, puis sa beauté, ce qui n'est guère plus étonnant ; mais il réserve sa plus grande perfection pour la fin :

> Il y a dans Belmont une riche héritière
> Et elle est belle et, mieux encor que belle,
> D'étonnante vertu. (I, I, 161-163).

Il est clair qu'il va choisir le coffret gagnant. « Bien des hommes » désirent la richesse et la beauté extérieure, symbolisée par le coffret d'or ; quelques-uns seront assez ignorants pour penser qu'ils les méritent. Mais seul celui qui aime Portia pour ses vertus saura la chercher dans un coffret de plomb et pour elle

« donner et hasarder tout ce qu'il possède ». Les raisons de son choix, Bassanio les développe dans une longue délibération (III, 2. 73-107) ; elles sont inspirées de l'amour idéal tel que le concevait la Renaissance, qui ne confondait pas « la tocade » (*fancy*) et l'« affection vraie », distinction familière dans les romans de courtoisie et d'amour comme la *Mamillia* de Greene (environ 1583) : « Celui qui choisit la beauté sans la vertu commet une folie autant que Critius lorsqu'il choisit une boîte d'or remplie d'os... » L'histoire des coffrets, dans la *Gesta Romanorum* (source possible de notre pièce), avait une intention morale, qui est exprimée dans plusieurs exemplaires manuscrits, ainsi que dans la traduction de Robinson : le coffret d'or est le choix des « mondains, puissants et riches, qui brillent au-dehors », celui d'argent le choix des « justes et sages de ce monde, qui brillent de beau parler », et celui de plomb le choix « des simples et des pauvres » qui, « au jour du jugement... seront unis à Notre Seigneur Jésus-Christ ».

Portia, comme Bassanio, est ennoblie par la substitution du thème des coffrets aux péripéties amoureuses d'*Il Pecorone,* où la dame de Belmont est une veuve qui a déjà causé la perte de nombreux gentilshommes. La Portia de Shakespeare, comme la fille du roi dans la *Gesta Romanorum,* est une héroïne de roman, belle, noble, vierge, fille unique et amoureuse. Aux yeux du prince de Maroc, elle est le modèle de la perfection :

> tout l'univers la désire.
> Des quatre coins de la terre on s'en vient
> Baiser la châsse, la sainte mortelle respirante. (II, 7, 38-40).

Pour Bassanio, elle est riche, belle et vertueuse, digne d'égaler la noble Portia romaine, courtisée par des princes, et dont la richesse et la beauté étaient si légendaires que les héros traversaient les mers en quête d'elle.

C'est nimbée d'une auréole poétique que le spectateur attend l'entrée de notre Portia. Il compte la

trouver dans un château, belle, lointaine, appartenant à un autre monde. Et lorsqu'elle paraît sur la scène élizabéthaine, rien n'empêche notre spectateur de l'imaginer ainsi. Mais voici qu'elle parle :

> En vérité, Nérissa, ma petite personne est lasse de ce grand univers.
> (I, 2, 1-2).

D'emblée l'éclairage change, et cette première scène, écrite en prose, va transformer la princesse de roman en personnage ardent et intelligent, sans lui ôter, d'ailleurs, son prestige : soyez sûre, lui dit Nérissa, que la loterie des coffrets ne favorisera qu'un homme digne de votre amour ; et bientôt la poésie des deux scènes où paraît Maroc la rétablira dans ses perfections fabuleuses. Portia se conforme aisément et avec simplicité au modèle des romans de jadis, tout en lui prêtant une vie nouvelle : en elle, l'esprit donne une âme à la beauté, et sa gloire éclate surtout dans la dernière scène des coffrets. Elle n'y reste pas passive tandis que Bassanio se prépare à résoudre l'énigme. Le discours par lequel elle envoie Bassanio à l'épreuve :

> Allons allons ! Je suis enfermée dans l'un d'eux... (III, 2, 40-62).

est aussi complexe et en même temps aussi simple que Portia elle-même. Il exprime parfaitement tous ses espoirs et toutes ses craintes, en une poésie mesurée et riche d'associations : musique, cygne, monarque nouvellement couronné, matin de noces, Alcide, sacrifice, combat. Cette Portia à la fois humble et ardente, qui d'avance transforme l'échec possible en beauté et la victoire désirée en musique, qui assiste au combat avec plus d'angoisse que celui qui le livre, annonce et justifie l'esprit, le courage, le sang-froid et le bon sens de la Portia de la scène du jugement, et nous prépare à la scène du jardin de Belmont au petit matin, pleine de grâce légère et de paix profonde.

Cette enquête sur les personnages nous amène à l'étude de la pièce elle-même. A première vue, ses nombreux éléments semblent manquer d'unité. La moitié de l'action se déroule dans une Venise pleine

de galants, de masques et de bavards. Dans cette ville où l'on s'amuse vit un usurier juif féroce, à qui le Marchand de Venise, pour faire plaisir à un ami, engage sa propre chair ; terrassé par une catastrophe invraisemblable, il doit se soumettre au Juif qui réclame son dû. L'autre moitié de la pièce se place à Belmont, palais que l'on atteint par mer, propriété d'une héroïne qui réunit beauté, ardeur et intelligence. C'est elle qui, déguisée en jeune homme, finit par débouter l'usurier juif, grâce à une chicane à laquelle les prud'hommes de Venise n'avaient pas songé. A coup sûr, c'est une fantaisie, et nous allons perdre notre temps à vouloir l'approfondir. Mais ce n'est pas fini : l'intrigue principale dénouée, le rideau se relève sur un jardin baigné de lune et de musique, où l'on parle d'harmonie céleste et d'amours anciennes. Les jeunes amants arrivent avec leurs ingénues, et les voilà qui se querellent et parlent de cocuage et d'infidélité. La pièce se termine par une paillardise sur la chasteté d'une femme de chambre.

Shakespeare semble n'avoir éprouvé aucun embarras devant les invraisemblances de son histoire. Selon un sonnet qui figurait en tête de la première édition d'*Il Pecorone,* la pièce était écrite par un fou, pour des fous, sur des fous ; et pourtant, *Le Marchand* accentue encore certaines de ces invraisemblances. Les malheurs d'Ansaldo découlent de la perte d'un seul navire, ceux d'Antonio de la perte simultanée de six navires. Dans *Il Pecorone,* la dame vient à Venise de son propre chef et elle est obligée de jouer serré pour faire accepter son verdict. Mais Portia prévoit que le duc fera appel à son oncle Bellario et tombe sur un tribunal tout prêt à la recevoir. Il est évident que Shakespeare ne fait ici aucun effort pour rendre son histoire vraisemblable. C'est pourquoi Granville-Barker considérait la pièce comme un conte de fées, sans voir plus de réalité dans cette affaire de livre de chair et de testament à coffrets que dans *La Belle au Bois dormant.*

Il y a des pièces qui ne sont faites que pour amuser ; mais malgré toute sa fantaisie, ses invraisemblances,

son romanesque et l'entêtement de ses personnages, la critique a généralement vu autre chose dans *Le Marchand de Venise.* Certes la pièce est amusante, l'intrigue intéresse, les péripéties ont du brillant, les personnages sont variés, le dialogue est vigoureux, racé, drôle, et l'action se déroule apparemment sans effort. Mais ces qualités n'épuisent pas l'analyse. Les thèmes de l'usure (I, 3), de l'amitié (III, 4), de la pitié (IV, I) offrent à la méditation des questions d'un profond intérêt. En outre, *Le Marchand* n'est pas seulement un conte de fées au sens populaire de l'expression, qui en fait une chose délicate et lointaine : s'il renferme du merveilleux, on y trouve aussi des passions et des sentiments très humains. L'art de Shakespeare donne vie et mouvement à cette création étrange : tant que dure la pièce, le spectateur est conquis par la rhétorique passionnée de Shylock et par l'ardent plaidoyer de Portia.

Le Dr Johnson a dit que « rien ne saurait plaire à la majorité des hommes et d'une manière durable, hors les représentations véridiques de la nature universelle ». C'est pourquoi la critique s'est efforcée de démasquer ce que cache la délicieuse fantaisie du *Marchand de Venise,* et d'expliquer les raisons pour lesquelles cette fiction est si absorbante et son dénouement si satisfaisant.

Neville Coghill a vu dans *Le Marchand* une allégorie de « la Justice et de la Pitié, de l'ancienne et de la nouvelle Loi ». Selon cette conception, la scène du jugement, où Justice et Pitié sont en présence, est la scène capitale. S'il en est ainsi, il est très probable que Shakespeare s'est inspiré du *Processus Belial* médiéval, où il est raconté que le Diable ayant réclamé l'homme comme sien en vertu de la justice, la Vierge Marie demanda pour lui et obtint miséricorde. Le thème de la justice ressort clairement dans la scène du tribunal lorsque Shylock revendique ses droits : « Je demande justice ; l'aurai-je ? Répondez », « Que mes actions retombent sur ma tête ! Je réclame la loi... » (IV, I. 103 et 203). Mais des critiques ont vu de l'ironie là où Portia chante les louanges

de la pitié alors qu'elle est sur le point d'appliquer à Shylock toutes les rigueurs de la justice et de la loi prise à la lettre ; aux yeux d'un juriste moderne, la conduite de Portia est étrange, et même répréhensible : « Aucun juge raisonnable, désirant effectuer un compromis, ne commence par assurer la partie qu'il cherche à convaincre de la certitude du succès au cas où elle persisterait à réclamer la stricte application de son droit légal ; et aucun juge équitable ne donnerait pareilles assurances les sachant fausses [1]. » C'est pourquoi on a pu dire du *Marchand de Venise* qu'il était « la satire de la justice et des tribunaux la plus ingénieuse qui soit dans toute la littérature [2] ».

Mais selon M. Coghill [3], il convient de considérer le jugement d'un point de vue idéal ou allégorique. Le plaidoyer de Portia en faveur de la pitié est énoncé dans l'absolu, et dès lors que Shylock le refuse, il est juste que celui qui vivait par la loi périsse par la loi. La ruse verbale n'est rien qu'« un artifice ayant pour but de retourner la situation et d'exhiber la Justice dans une posture de suppliante devant la Pitié ». Il est peut-être significatif que Shakespeare ait ici ajouté un « troisième et nouveau détail pour couronner les arguties : le fait que l'ancienne loi de Venise condamne à mort et à la confiscation des biens tout étranger qui conspire contre la vie d'un citoyen de Venise [4] ». Cette particularité, qui ne figure dans aucune des sources probables, a pu être ajoutée pour souligner que Shylock est vaincu sur son propre terrain de la justice et du droit. En fin de compte, Shylock est contraint à devenir chrétien, ce qui lui permettra peut-être de bénéficier d'un pardon, « même si la voie de la miséricorde est difficile ». Le dernier acte complète l'allégorie ; nous retournons à Belmont « pour y trouver Lorenzo et Jessica, la Juive et le chrétien, l'ancienne et la nouvelle Loi, unis par l'amour et parlant de musique, symbole constant de l'harmonie chez Shakespeare ».

1. Lord Normand, *Univ. of Edinburgh Journal,* X (1434), 44.
2. H. Sinsheimer, *Shylock* (1947), 139.
3. « The Governing Idea », *Shakespeare Quarterly,* I (Londres, 1948), 9-17.
4. T. M. Parrot, *Shakespearian Comedy* (1949), 139.

Certes, l'interprétation de M. Coghill donne un sens à l'opposition de Shylock et de Portia dans la scène du jugement ; mais il est difficile de voir comment elle fournit « l'idée directrice » de toute la pièce. Elle éclaire le rôle de l'usurier réclamant son dû, mais sans l'expliquer en son entier : le côté comique de ce rôle dans la scène du jugement (le Juif qui allume sans la satisfaire la curiosité des chrétiens quant à ses mobiles, qui relit le billet pour voir s'il y est fait mention d'un chirurgien, qui encourage le juge sur le point de le condamner, qui demande l'argent sitôt qu'il voit la chair lui échapper) relève peut-être du Diable mi-comique de la tradition médiévale, mais ne paraît pas avoir grand-chose à voir avec la Justice ou l'ancienne Loi. Ce qui est plus grave, cette interprétation laisse complètement dans l'ombre l'histoire de Portia et de Bassanio et presque tout ce qui se passe à Belmont.

On a proposé une autre idée directrice : l'antinomie des apparences et de la réalité, symbolisée par les coffrets. Le thème est explicite dans la délibération de Bassanio :

> Ainsi peuvent les apparences n'être rien.
> Le monde est toujours égaré par l'ornement... (III, 2, 73-4).

et sur les parchemins que contiennent les coffrets :

> « Tout ce qui brille n'est pas or » (II, 7, 65).
> « Il est des sots, je l'ai appris,
> Couverts d'argent... » (II, 9, 68).
> « Toi qui ne choisis pas à vue » (III, 2, 131).

Bassanio est un bon amant parce que, sans dédaigner la beauté, il apprécie davantage la vertu. L'histoire du billet illustre également le thème ; quand Shylock justifie l'usure, Antonio s'écrie :

> Oh ! quels jolis dehors se donne le mensonge (I, 3, 97).

et plus loin, Bassanio, instruit de l'engagement d'Antonio :

> Je n'aime pas beau dire et cœur de chenapan. (I, 3, 174).

On le retrouve dans de nombreux détails. Jessica est juive de race, mais non de cœur :

> bien que je sois fille de son sang,
> Je ne le suis point de ses mœurs... (II, 3, 18-9).

Lancelot démontre que le Démon lui donne de meilleurs conseils que sa conscience. Le malentendu des bagues nous enseigne encore qu'il ne faut pas se fier aux apparences, car Bassanio n'a jamais cessé d'être fidèle à Portia. Du reste, l'idée revient souvent sous la plume de Shakespeare à l'époque où il écrit *Le Marchand.* Le prince Hal, futur Henry V, a l'air d'un mauvais sujet, Hamlet cherche à démasquer Claudius, Claudio est trompé par la culpabilité apparente de Héro. Néanmoins, ici comme ailleurs, elle n'explique pas toute la pièce, n'ajoute rien aux personnages de Shylock et de Portia, et peu de chose à la scène capitale du jugement. Un certain nombre de critiques, enfin, ont fondé leur interprétation sur le contraste que présentent Venise et Belmont. Le professeur Parrot, par exemple, distingue deux conceptions de la richesse : « Pour Shylock, l'argent n'est qu'un moyen de "faire" de l'argent... (mais pour Portia) l'argent sert à bien vivre, à tenir maison ouverte, à divertir ses amis, à dépenser sans hésiter ni compter pour sauver la "noble amitié" menacée [1]. » Le professeur C. S. Lewis avait déjà souligné le même contraste entre les valeurs de Shylock et de Bassanio, entre le

> toute ma richesse
> En mes veines coulait

de celui-ci (III, 2. 253-4), source de noblesse et de fécondité, et la richesse froide et minérale que recèlent les coffres de Shylock [2]. Et Miss Bradbrook : « l'engagement matrimonial, à la fois sacrement et contrat légal, s'oppose au gage de chair exigé par Shylock [3] ». J. W. Lever a exprimé l'antinomie en termes plus généraux : d'une part, l'amour qui « embrasse la générosité du cœur, le libre recours à la munificence natu-

1. Ouv. cité, 143.
2. "*Hamlet : the Price or the Poem*", *Proceedings of the British Academy* (1942), 146.
3. *Shakespeare and Elizabethan Poetry* (1951), 177.

relle, et la fécondité dans le mariage », et d'autre part, l'usure, qui est « la négation de l'amitié et de la solidarité [1] ». Pour Sir Edmund Chambers, tout simplement, le combat oppose « les principes de l'Amour et de la Haine » : Shylock, affilant son couteau sur son cœur, personnifie la haine, Portia et Antonio sont une double incarnation de l'amour [2].

Ce contraste entre Venise et Belmont apparaît dans le détail de l'action et du dialogue aussi bien que dans les grandes lignes de la pièce. Ainsi, le long débat sur l'usure, qui ne figure dans aucune des sources probables, gagne en signification du fait que les parties en présence sont Shylock, l'usurier de Venise, et Antonio, qui, par son amitié pour Bassanio, souscrit aux idéaux de Belmont. Dans son *Discours sur l'Usure* (1572), Sir Thomas Wilson oppose nettement l'usure à l'amitié : « Dieu a ordonné la prestation pour le maintien de l'amitié et l'expression de l'amour entre l'homme et l'homme : tandis que maintenant on prête l'argent pour l'oppression et le profit personnels, sans aucun usage de charité. » Cette antithèse fort connue, Shakespeare la reprend dans ces paroles d'Antonio à Shylock :

> Si tu veux nous prêter cet argent, ne le prête pas
> Comme à tes amis — car l'amitié tire-t-elle
> Un fruit du métal stérile de son ami ? —
> Mais prête-le plutôt comme à ton ennemi. (I, 3, 127-130).

La rapacité de Shylock fait encore contraste avec la générosité de Portia :

> Quoi, pas plus ?
> Donnez-lui-en six mille et annulez sa dette ;
> O doublez ces six mille et triplez le total
> Avant qu'un tel ami
> Perde un cheveu par la faute de Bassanio... (III, 2, 297-301).

Dans son *Examen de l'Usure* (1591), Henry Smith

1. *Shakespeare Quarterly,* III (1952), 383.
2. *Shakespeare : a Survey* (1925), 112-15.

avait opposé l'usure à l'amour : « L'amour ne cherche pas son intérêt, mais l'usure cherche celui qui appartient à un autre... Charité se réjouit de communiquer ses biens à autrui, et Usure d'amener à elle les biens d'autrui. » Dans *La Morale des trois seigneurs* (1590), de R. Wilson, la Pompe dit à l'Usure : « Vous avez fait grand bien, dites-vous, à Dame Avarice, mais c'est contre Dieu et conscience, car jamais de votre vie ne fîtes rien par amour. » Chez les moralistes du temps, l'antithèse est donc classique.

Cependant, ce combat des deux entités n'empêche pas qu'on les rapproche parfois. Paradoxalement, les poètes font de l'usure une image de l'amour. Quand Antoine quitte Cléopâtre, il proteste : « mon cœur reste en gage auprès de vous », et Spenser, dans l'*Epithalame* (1595), promet à la fiancée :

> Le jour désiré est enfin venu
> Qui, pour toutes les peines et les chagrins passés
> Lui versera l'usure d'un long bonheur. (Vers 31-3).

Shakespeare emploie souvent la même image :

> Une âme qui te compte pour son créancier entend payer l'intérêt de ton dévouement. (*Roi Jean,* III, 3. 21-22).

> Tu fais honte à ta forme, à ton amour, à ton esprit,
> Alors que comme un usurier tu as tout en abondance
> Et n'uses de rien selon l'usage vrai
> Qui doit orner ta forme, ton amour, ton esprit.
> (*Roméo et Juliette,* III, 3, 122-125).

> Usurier sans profit, pourquoi consommes-tu
> De tant de sommes composées, sans pouvoir vivre ?
> Pour n'avoir commerce qu'avec toi seul,
> Doux être, tu te trompes toi-même. (Sonnet IV.)

> Cet usage n'est point l'usure défendue,
> Qui fait l'heur de celui qui paye volontiers. (Sonnet VI.)

L'amour est considéré comme une transaction où ceux qui donnent comme ceux qui reçoivent sont des agents libres et heureux, et où la multiplication du bonheur est une sorte d'intérêt naturel.

C'est ce genre d'usure qui est pratiqué à Belmont : « Il est à Belmont une riche héritière » sont les mots

à double sens qui nous apprennent l'existence de Portia, dont « la chevelure radieuse pend à ses tempes comme une toison d'or ». La Toison d'Or était le symbole de la fortune recherchée par les marchands aventuriers. Dans *Euphuès et son Angleterre*, Callimaque, déshérité par son père, est décidé à « traquer l'aventure dans les pays étrangers, et (à) chercher par travail la Toison d'Or » ; et quand Drake revint de son périple, un poète déclara qu'il ramenait « sa toison d'or ». Cette conception marchande de la Toison d'Or donne un sens précis aux paroles de Gratiano :

> Quoi de neuf à Venise ?
> Comment va ce royal marchand, notre Antonio ?
> Je sais qu'il sera heureux de notre succès.
> Tels des Jasons, nous avons conquis la Toison. (III, 2, 237-240).

Les lois qui gouvernent l'usure à Belmont sont exposées dans les sentences des coffrets. Il ne suffit pas de la « désirer », ni de revendiquer ses droits afin d'« obtenir ce que (l'on) mérite » (ce que fait Shylock dans la scène du jugement). Pour triompher dans l'aventure, il faut « donner et hasarder ». Aux yeux de l'homme ordinaire, c'est là une absurdité, car « les hommes qui hasardent tout ne le font que dans l'espoir d'avantages suffisants », et cette opinion de Maroc est pertinente, car à Venise, « avantage » signifie « intérêt » :

> Je l'oubliais — trois mois — vous l'aviez dit...
> Bon, le billet : voyons — mais écoutez
> Vous disiez ne prêter ni n'emprunter
> A intérêt *(advantage)*. (I, 3, 64-65.)

Belmont emploie souvent le vocabulaire commercial de Venise et l'identité verbale ne fait que souligner la différence entre les deux notions de l'usure. A Venise, Antonio dit :

> Shylock, encor que je ne prête ni n'emprunte,
> Ne prenant ni ne donnant d'intérêts,
> Pourtant, pour les pressants besoins de mon ami
> Je romprai ma coutume... (I, 3, 56-59.)

Et quand Bassanio a fait le choix qui convient, Portia s'écrie :

Amour, apaise tes transports, patiente,
Tiens en rêne ta joie, affaiblis cet excès.
Je sens trop tes bonheurs, amoindris-les,
J'en vais être par trop gorgée ! (III, 2, III-4.)

Il faut comprendre : l'amour est prodigue dans l'intérêt ou l'usure qu'il produit sous forme de joie.

En écrivant les répliques échangées par les amants, Shakespeare, consciemment ou non, devait sans cesse avoir à l'esprit ce couple amour-usure, dont les termes, moralement ennemis, tendaient à cristalliser en images analogues. Ces amants ne parlent pas la langue de l'amour, mais celle du commerce. Dès la première scène, Bassanio est sûr de la réussite (*thrift*) de son entreprise amoureuse ; puis, lorsque le parchemin lui ordonne de réclamer sa dame, il déclare :

Charmant... Belle dame, avec votre bon vouloir,
Je viens, cet ordre en main, offrir et recevoir. (III, 2, 139-140.)

Ayant tout hasardé, il peut maintenant revendiquer sa « fortune ». Mais il doit donner aussi, car dans le commerce de Belmont, tout billet implique un échange. Du reste, il doute de son bonheur :

Ainsi, oui, suis-je devant vous très belle,
Hésitant si ce que je vois est vérité,
Tant que ce n'est, par vous, confirmé, signé, ratifié. (III, 2, 146-8).

Portia répond dans la même veine. Pour faire le bonheur de Bassanio, elle voudrait

tripler vingt fois ma valeur —
Mille fois ma beauté, dix mille fois
Ma richesse...
Rien que pour être haute en votre estime
Et pouvoir, en vertus, beauté, fortune, amis,
Surpasser l'évaluation. (III, 2, 153-8.)

Les termes de commerce figurent tout au long de ce discours de Portia : « la somme de ce que je suis », « à l'évaluer en gros »,

> Moi et ce qui est mien sont en vous, en ce qui est vôtre,
> A l'instant convertis. (III, 2, 167-8.)

Le contraste entre la richesse et la coutume de Venise et de Belmont éclaire encore de nombreux détails. Lorsque Portia dit à Bassanio

> Puisque cher acheté, vous me resterez cher. (III, 2, 312.)

ce vers ne mérite plus d'être relégué au bas de la page comme indigne de Shakespeare, ainsi que le fait Pope dans son édition. Jessica et son « amant prodigue » (V, 1. 16) gagnent largement leur place dans l'histoire, puisqu'ils ont dépensé en une nuit tout l'argent qu'ils ont emporté de Venise, pour trouver enfin la paix et l'harmonie à Belmont. Lancelot, le « valet gaspilleur » de Shylock (I, 3. 172), prend un nouveau maître qui recevra les pigeons de son père, et considère comme un avancement de quitter

> Juif cossu pour devenir le valet d'un si pauvre gentilhomme

à savoir Bassanio (II, 2. 133-4).

Ainsi le thème de la pièce, clé de sa structure dramatique et verbale, semble bien être l'antithèse Venise-Belmont. Lorsque Shylock et Portia sont face à face dans la scène du jugement, ils représentent non seulement les revendications spécifiques de la justice et de la miséricorde dans une affaire d'usure, mais les notions universelles de l'envie et de la générosité, et ils parlent, l'un pour ceux qui en toutes choses réclament leur dû, l'autre pour ceux qui, par amour, sont prêts à tout hasarder. Ainsi comprise, la pièce pourrait encourir le reproche de formalisme et perdre aux yeux du spectateur averti une part de sa valeur dramatique, qui réside dans l'incertitude de l'issue du procès. Mais Shakespeare s'est bien gardé de développer une simple allégorie du bien et du mal, dénouée par le châtiment prévu du coupable. Shylock émeut par sa complexité et provoque la sympathie aussi bien que la réprobation ; mais surtout, le triomphe de Portia est suivi d'une remise en question des valeurs de Belmont.

C'est pourquoi, si l'harmonie du dernier acte vient logiquement faire contraste avec le conflit du jugement, l'échange des bagues et le dialogue léger de la fin ont aussi leur importance, car ils achèvent de nous éclairer sur la signification humaine de Belmont. L'histoire de Bassanio et de Portia avait été interrompue pour ménager le retour à Venise, au moment où Portia offrait son âme et ses biens à Bassanio :

> Plus heureuse surtout que son esprit docile
> Pour être dirigé, au vôtre s'en remette
> Comme à son seigneur, son gouverneur et son roi...
> (III, 2, 164-6.)

Mais le pacte d'amour n'est pas si simple. Il faut le jeu des bagues pour rappeler à Bassanio (et au spectateur) que Portia a sauvé son ami. Bassanio est encore son débiteur, sera toujours son débiteur ; mais Portia n'a pas fini de donner. L'amour n'est pas une simple marchandise qui passe de main en main. Les allusions joyeuses à l'infidélité et à l'adultère, provoquées par le malentendu des bagues, viennent à point nous faire comprendre que l'intérêt de l'amour doit être jalousement gardé, même s'il n'est la propriété exclusive d'aucun des deux partenaires. Comme tous ceux qui hasardent, les marchands d'amour doivent rester vigilants ; et Gratiano a le mot de la fin :

> Tant que je vivrai, je n'aurai point d'autre souci
> Que de garder cet anneau que Nérissa m'a commis.

Nous ne quittons pas Portia et Bassanio dans un château de roman, au sommet d'une « belle montagne » : nous savons qu'ils vont avoir à vivre ensemble, comme Gratiano et Nérissa, comme tous les amants de ce monde.

Ainsi finit *Le Marchand de Venise*, comme un ballet aux nombreux motifs joyeusement mêlés. Tant que dure la danse, il vaut mieux ne pas trop y chercher un canevas. Mais une fois qu'on a pris son plaisir, pourquoi ne pas comprendre ? Nous dirons que l'auteur brode sur le thème de la générosité : « Donnez, et vous recevrez » ; ou encore : « A celui qui a il sera donné,

afin qu'il soit dans l'abondance ; mais à celui qui n'a rien, cela même qu'il a lui sera ôté. » Les deux parties de la pièce sont liées par cette idée : Portia est une Toison d'Or, les marchands, comme les amants, hasardent leurs biens, les coffrets renferment des valeurs, le billet et les bagues sont des gages. Dans la confusion des échanges, où il est parfois difficile de distinguer la réalité des apparences, une chose semble certaine : donner est plus important que recevoir, donner sans compter, sans arrière-pensée.

John RUSSELL BROWN.

NOTICE

TEXTE. *Avant le Folio de 1623, deux éditions in-quarto. Chambers et d'autres pensent que QI, qui date de 1600, a pu être composé d'après un manuscrit de Shakespeare. Q2 porte également la date de 1600, mais c'est un faux, imprimé en 1619 d'après QI, comme le Premier Folio. Tous les éditeurs modernes considèrent QI comme faisant autorité. Dover Wilson pense qu'il a été « assemblé » à partir de rôles de comédiens et d'un « argument », et qu'il a ensuite été révisé à plusieurs reprises ; mais la plupart des critiques modernes estiment que les faits autorisent une interprétation plus simple.*

DATE. *La pièce est inscrite au Registre des Libraires le 22 juillet 1598 ; elle est citée dans* Palladis Tamia *de Meres, elle-même inscrite au Registre en septembre de cette année. Chambers la faisait remonter à 1596 au moins, parce que des lettres écrites à Lord Cecil cette année-là contenaient deux allusions à « St. Gobbo » ; mais le mot figurait déjà dans le dictionnaire italien de Florio, avec la définition suivante :* « Gobbo : *un bossu, ou encore un genre de faucon* ». *Plusieurs savants ont cru que la mention de l'âme d'un loup « pendu pour meurtre d'homme »* (IV, I. 133-7) *était une allusion à l'exécution, en 1594, pour haute trahison, du Juif portugais Roderigo Lopez, médecin du comte de Leicester, puis de la reine ; mais les chiens, et peut-être les loups, étaient souvent pendus judiciairement, et d'ailleurs une allusion à Lopez serait demeurée intelligible pendant plusieurs années. On avance aussi parfois que*

Shakespeare, en écrivant Le Marchand de Venise, *a voulu imiter* Le Juif de Malte *de Marlowe, qui fut repris et bien accueilli après l'exécution de Lopez ; mais la pièce de Marlowe fut reprise une seconde fois en 1596. L'allusion à un couronnement (*III, 2. 50) *est trop vague pour qu'on puisse affirmer qu'elle est un écho de celui d'Henry IV de France en 1594. Dans l'ensemble, les indices matériels et l'étude du style désignent les années 1596-1598.*

SOURCES. *L'histoire du gage de chair remonte très loin dans le folklore ; la version qui se rapproche le plus de celle de Skakespeare est contenue dans* Il Pecorone, *nouvelle du Florentin Ser Giovanni, contemporain de Boccace, mais dont les œuvres ne furent publiées qu'en 1558. Dans ce conte, le marchand est le parrain du héros, et la « dame de Belmont », sorte d'aventurière, promet sa main à quiconque pourra passer une nuit à veiller auprès d'elle, puis drogue ses amants pour les dépouiller. Le héros l'emporte à la troisième tentative, mais doit retourner à Venise pour tenter de sauver son parrain des griffes d'un usurier qui réclame une livre de sa chair. Il y réussit avec l'aide de sa femme déguisée, comme Portia, en juriste. Aucune traduction anglaise de cette histoire ne nous est parvenue, mais il a pu en exister une, et d'ailleurs Shakespeare connaissait sans doute l'italien.* La Ballade de Gernutus, *qui est peut-être antérieure au* Marchand de Venise, *présente un usurier juif. Le motif de la livre de chair, et d'autres incidents, figurent dans le* Zelauto *de Munday (1580) et dans* L'Orateur *de Silvain (traduit en 1596). Le thème folklorique des coffrets, qui permet à Shakespeare de modifier le personnage de Portia, semble avoir été emprunté à l'un des contes de la* Gesta Romanorum, *publiée dans une traduction anglaise en 1577 et rééditée en 1595. Le traitement de Lorenzo et de Jessica, ainsi que certains traits du caractère de Shylock, ont peut-être été inspirés du* Juif de Malte *de Marlowe, et de* Zelauto.

REPRÉSENTATIONS. *La pièce fut reprise en 1605, sous le règne de Jacques I*er*. Au XVIII*e *siècle, le texte de Shakes-*

peare fut remplacé sur la scène par une adaptation de Granville, Le Juif de Venise, *où Shylock est un personnage comique, et qui fut jouée pour la première fois en 1701. En 1741, Macklin reprit la pièce originale de Shakespeare et fit de Shylock un scélérat, avec un tel succès qu'il continua d'interpréter le rôle jusqu'à l'âge de quatre-vingt-dix ans. Toujours au XVIII*e *siècle, on enregistre une mise en scène de Garrick et des interprétations de Foote, Kemble et Mrs. Siddons. Kean incarna Shylock pour la première fois en 1814, et sa conception du personnage, qui lui valut les louanges de Hazlitt, domina toute la première moitié du XIX*e *siècle. Ses successeurs Macready et Irving imposèrent un Shylock personnage noble. En général le XIX*e *siècle donna à la pièce une mise en scène laborieuse et réaliste, avec gondoles et canaux. Toutefois, en 1898, William Poel s'efforça de rétablir dans sa présentation l'esprit du Théâtre élizabéthain. La pièce continue à être fréquemment jouée.*

R. G. COX.

LE MARCHAND DE VENISE

CHARACTERS IN THE PLAY

The Duke of Venice.
The Prince of Morocco } *suitors to Portia.*
The Prince of Arragon }
ANTONIO, *a Merchant of Venice.*
BASSANIO, *his friend, suitor to Portia.*
GRATIANO }
SOLANIO } *friends to Antonio and Bassanio.*
SALERIO }
LORENZO, *in love with Jessica.*
SHYLOCK, *a Jew.*
TUBAL, *another Jew, friend to Shylock.*
LANCELOT GOBBO, *a clown, servant to Shylock.*
OLD GOBBO, *father to Lancelot.*
LEONARDO, *servant to Bassanio.*
BALTHAZAR } *servants to Portia.*
STEPHANO }
PORTIA, *a lady of Belmont.*
NERISSA, *her waiting-maid.*
JESSICA, *daughter to Shylock.*

Magnificoes of Venice, officers of the Court of Justice, a gaoler, servants, and other attendants.

The scene: Venice, and Portia's house at Belmont.

PERSONNAGES

Le Duc de Venise.
Le Prince du Maroc } *prétendants de Portia.*
Le Prince d'Aragon } *prétendants de Portia.*
ANTONIO, *marchand de Venise.*
BASSANIO, *son ami, prétendant de Portia.*
GRATIANO } *amis d'Antonio et de Bassanio.*
SOLANIO } *amis d'Antonio et de Bassanio.*
SALÉRIO } *amis d'Antonio et de Bassanio.*
LORENZO, *épris de Jessica.*
SHYLOCK, *Juif.*
TUBAL, *autre Juif, ami de Shylock.*
LANCELOT GOBBO, *clown, serviteur de Shylock.*
LE VIEUX GOBBO, *père de Lancelot.*
LÉONARDO, *serviteur de Bassanio.*
BALTHAZAR } *serviteurs de Portia.*
STÉPHANO } *serviteurs de Portia.*
PORTIA, *dame de Belmont.*
NÉRISSA, *sa demoiselle de compagnie.*
JESSICA, *fille de Shylock.*

Magnifiques de Venise, officiers de la Cour de Justice, geôlier, serviteurs et autres gens de la suite.

La scène : Venise, et la maison de Portia à Belmont.

ACTE PREMIER

[I,1.]

A quay in Venice

ANTONIO, SALERIO *and* SOLANIO *approach, talking together.*

ANTONIO

In sooth I know not why I am so sad,
It wearies me, you say it wearies you;
But how I caught it, found it, or came by it,
What stuff' tis made of, whereof it is born,
I am to learn:
And such a want-wit sadness makes of me,
That I have much ado to know myself.

SALERIO

Your mind is tossing on the ocean,
There, where your argosies with portly sail—
10 Like signiors and rich burghers on the flood,
Or as it were the pageants of the sea—
Do overpeer the petty traffickers,
That curtsy to them, do them reverence,
As they fly by them with their woven wings.

SOLANIO

Believe me, sir, had I such venture forth,
The better part of my affections would
Be with my hopes abroad. I should be still
Plucking the grass to know where sits the wind,

SCÈNE PREMIÈRE

Un quai à Venise

ANTONIO, SALÉRIO *et* SOLANIO *approchent en conversant.*

ANTONIO

Vraiment je ne sais pas pourquoi je suis si triste,
Ça me pèse et voici que ça vous pèse aussi ;
Mais comment j'ai gagné, trouvé, rencontra ça,
De quelle étoffe c'est fait et d'où ça m'est né
Il me reste à l'apprendre :
La tristesse a fait de moi un si pauvre esprit
Que j'ai du mal à me reconnaître moi-même.

SALÉRIO

Votre pensée tangue sur l'océan
Là-bas où vos galions aux voiles magnifiques,
Tels des seigneurs et grands bourgeois des flots
Ou comme les hauts décors de la mer,
Abaissent leurs regards sur les petits marchands
Qui les saluent et qui leur font la révérence
Quand ils glissent près d'eux de leurs ailes de toile.

SOLANIO

Croyez-moi, monsieur, si je courais pareil risque
Le meilleur de mes affections se tiendrait
Au large avec mes espoirs. Je serais sans cesse
A cueillir l'herbe pour savoir d'où vient le vent,

Piring in maps for ports and piers and roads:
20 And every object that might make me fear
Misfortune to my ventures, out of doubt,
Would make me sad.

SALERIO

My wind, cooling my broth,
Would blow me to an ague when I thought
What harm a wind too great might do at sea.
I should not see the sandy hour-glass run
But I should think of shallows and of flats,
And see my wealthy Andrew docked in sand,
Vailing her high-top lower than her ribs
To kiss her burial... Should I go to church
30 And see the holy edifice of stone,
And not bethink me straight of dangerous rocks,
Which touching but my gentle vessel's side
Would scatter all her spices on the stream,
Enrobe the roaring waters with my silks,
And, in a word, but even now worth this,
And now worth nothing? Shall I have the thought
To think on this, and shall I lack the thought
That such a thing bechanced would make me sad?
But tell not me—I know Antonio
40 Is sad to think upon his merchandise.

ANTONIO

Believe me, no—I thank my fortune for it—
My ventures are not in one bottom trusted,
Nor to one place; nor is my whole estate
Upon the fortune of this present year:
Therefore my merchandise makes me not sad.

SOLANIO

Why then you are in love.

ANTONIO

Fie, fie!

Sur la carte à chercher les ports, môles et rades :
Et tout ce qui pourrait m'être cause de craindre
Un malheur pour mes cargaisons, sans aucun doute
Me rendrait triste.

SALÉRIO

Mon souffle, en refroidissant mon potage,
Me donnerait la fièvre à la pensée
Du mal qu'un vent trop fort pourrait faire à la mer.
Je ne verrais pas s'écouler le sablier
Sans supposer des bancs et des bas-fonds
Et voir mon riche *André* [1] s'enfoncer dans les sables,
Inclinant son grand mât plus bas que ses sabords
Pour baiser son tombeau... M'en irais-je à l'église
Et verrais-je le saint édifice de pierre
Sans aussitôt songer aux rochers dangereux
Qui, rien qu'à toucher le flanc de mon beau navire,
Disperseraient sur les eaux ses épices,
Vêtiraient de mes soies les vagues rugissantes —
Qu'en bref, riche de tant que j'étais tout à l'heure,
Je le suis de rien maintenant ? Penserais-je
A ces pensées sans manquer de penser
Qu'un tel accident survenu me rendrait triste ?
Ne me le dites pas, je le sais, Antonio
Est triste de penser à son négoce.

ANTONIO

Non, croyez-moi (j'en remercie ma chance)
Mes risques ne sont pas confiés à cale unique
Pour quelque unique port, ni ma fortune entière
Au seul hasard de la présente année :
Ce n'est donc point mon trafic qui m'attriste.

SOLANIO

Alors vous êtes amoureux.

ANTONIO

Fi ! fi !

SOLANIO

Not in love neither? then let us say you are sad
Because you are not merry; and 'twere as easy
For you to laugh and leap, and say you are merry,
50 Because you are not sad. Now, by two-headed Janus,
Nature hath framed strange fellows in her time:
Some that will evermore peep through their eyes,
And laugh like parrots at a bag-piper;
And other of such vinegar aspect,
That they'll not show their teeth in way of smile,
Though Nestor swear the jest be laughable...

Bassanio, Lorenzo, and Gratiano are seen approaching.

Here comes Bassanio, your most noble kinsman,
Gratiano, and Lorenzo... Fare ye well,
We leave you now with better company.

SALERIO

60 I would have stayed till I had made you merry,
If worthier friends had not prevented me.

ANTONIO

Your worth is very dear in my regard.
I take it your own business calls on you,
And you embrace th'occasion to depart.

SALERIO

Good morrow, my good lords.

BASSANIO [*coming up*]

Good signiors both, when shall we laugh? say when?
You grow exceeding strange: must it be so?

SALERIO

We'll make our leisures to attend on yours.

Salerio and Solanio bow and depart.

SOLANIO

Non plus amoureux ? Alors disons que vous voilà
[triste
Par défaut de gaieté. Il vous serait aussi facile
De rire et de danser et de vous dire gai
Par défaut de tristesse. Ah ! Janus double face !
La nature en son temps forma d'étranges types :
Les uns toujours clignent des yeux et rient
Comme des perroquets au son des cornemuses ;
Et d'autres sont d'aspect si vinaigré
Qu'ils ne montreraient pas leurs dents pour un sourire
Bien que Nestor jurât la plaisanterie drôle...

On voit venir Bassanio, Lorenzo et Gratiano.

Et voici Bassanio, votre noble cousin
Et Gratiano et Lorenzo... Adieu,
Nous allons vous laisser en compagnie meilleure.

SALÉRIO

Je demeurerais bien jusqu'à vous rendre gai
Si ne me prévenaient de plus dignes amis.

ANTONIO

Votre valeur est à mes yeux très chère.
J'imagine que vos affaires vous réclament
Et que vous saisissez l'occasion de partir.

SALÉRIO

Bonjour, mes bons seigneurs.

BASSANIO *s'avançant,*

Mes bons signors, quand rirons-nous en chœur ?
[dites-moi quand ?
Vous voici devenus bien rares. Le faut-il ?

SALÉRIO

Nous ferons nos loisirs s'employer pour les vôtres.

Salério et Solanio sortent.

LORENZO

My Lord Bassanio, since you have found Antonio,
70 We two will leave you, but at dinner-time
I pray you have in mind where we must meet.

BASSANIO

I will not fail you.

GRATIANO

You look not well, Signior Antonio,
You have too much respect upon the world:
They lose it that do buy it with much care,
Believe me you are marvellously changed.

ANTONIO

I hold the world but as the world, Gratiano—
A stage, where every man must play a part,
And mine a sad one.

GRATIANO

Let me play the fool,
80 With mirth and laughter let old wrinkles come,
And let my liver rather heat with wine,
Than my heart cool with mortifying groans.
Why should a man, whose blood is warm within,
Sit like his grandsire cut in alabaster?
Sleep when he wakes? and creep into the jaundice
By being peevish? I tell thee what, Antonio—
I love thee, and it is my love that speaks—
There are a sort of men whose visages
Do cream and mantle like a standing pond,
90 And do a wilful stillness entertain,
With purpose to be dressed in an opinion
Of wisdow, gravity, profound conceit,
As who should say, 'I am Sir Oracle,
And when I ope my lips let no dog bark'...
O, my Antonio, I do know of these
That therefore only are reputed wise
For saying nothing... when, I am very sure,
If they should speak, would almost damn those ears

LORENZO

Monseigneur Bassanio, vous avez Antonio :
Nous vous laissons, mais au temps du dîner
Je vous prie de penser à notre rendez-vous.

BASSANIO

Je n'y faillirai pas.

GRATIANO

Vous ne me paraissez pas bien, maître Antonio,
Vous avez trop souci du monde :
C'est le perdre que l'acheter de tant de soins.
Croyez-moi, je vous trouve étrangement changé.

ANTONIO

Le monde n'est pour moi, Gratiano, que le monde —
Un théâtre où chacun a son rôle à tenir,
Le mien en est un triste.

GRATIANO

A moi de jouer le fou
Que par rire et gaieté viennent les vieilles rides
Et que plutôt mon foie s'échauffe avec le vin
Que mon cœur ne se gèle aux soupirs de l'ascèse.
Pourquoi celui qui a du sang chaud dans les veines
Se tiendrait-il comme un aïeul sculpté d'albâtre ?
Dormir tout éveillé ? attraper la jaunisse
A force de chagrin ? Je te dis, Antonio
(Je t'aime et c'est mon amitié qui parle)
Il est une sorte de gens dont le visage
Mousse et se fige ainsi qu'une mare stagnante
Et qui d'un obstiné mutisme vous régalent
A dessein d'être dans votre opinion drapés
De sagesse, de gravité, de profondeur
Comme un qui vous dirait : « Je suis Monsieur l'Oracle.
Et qu'aucun chien n'aboie lorsque j'ouvre les lèvres »...
Mon Antonio, j'en connais de ceux-là
Qui n'ont la réputation d'être sages
Que pour ne piper mot,... alors que, j'en suis sûr,
Ils damneraient [2], s'ils parlaient, les oreilles

Which, hearing them, would call their brothers fools.
100 I'll tell thee more of this another time.
But fish not with this melancholy bait
For this fool gudgeon, this opinion...
Come, good Lorenzo. Fare ye well awhile,
I'll end my exhortation after dinner.

LORENZO

Well, we will leave you then till dinner-time.
I must be one of these same dumb wise men,
For Gratiano never lets me speak.

GRATIANO

Well, keep me company but two years mo,
Thou shalt not know the sound of thine own tongue.

ANTONIO

110 Fare you well. I'll grow a talker for this gear.

GRATIANO

Thanks, i'faith—for silence is only commendable
In a neat's tongue dried, and a maid not vendible.

[Gratiano and Lorenzo go off laughing, arm-in-arm.

ANTONIO

Is that any thing now?

BASSANIO

Gratiano speaks an infinite deal of nothing, more than any man in all Venice. His reasons are as two grains of wheat hid in two bushels of chaff: you shall seek all day ere you find them, and when you have them they are not worth the search.

ANTONIO

Well, tell me now what lady is the same
120 To whom you swore a secret pilgrimage,
That you to-day promised to tell me of?

Qui, à les écouter, jugeraient fous leurs frères.
Je t'en conterai plus une autre fois.
Pourtant n'appâte point par ta mélancolie
Ce goujon de folie qu'est la réputation...
Viens-t'en, bon Lorenzo. Et au revoir,
Je finirai mon prône après dîner.

LORENZO

Allons, nous vous laissons jusqu'au dîner.
Il me faut bien être un de ces sages muets
Car jamais Gratiano ne me laisse parler.

GRATIANO

Eh bien ne me tiens compagnie qu'encor deux ans
Et tu ne connaîtras plus le son de ta voix.

ANTONIO

Adieu. Je deviendrais bavard en cette affaire.

GRATIANO

Merci, vraiment, car se taire n'est honorable
Que pour langue fumée ou pour fille invendable.

Gratiano et Lorenzo sortent bras-dessus bras-dessous en riant.

ANTONIO

Qu'en dites-vous ?

BASSANIO

Gratiano débite une infinité de riens mieux que quiconque en tout Venise. Ses raisonnements sont comme deux grains
de blé cachés dans deux boisseaux de paille : Vous chercherez tout un jour avant de les trouver et quand vous les avez ils n'étaient pas dignes de recherche.

ANTONIO

Dites-moi maintenant le nom de cette dame
Que vous juriez de voir en secret pèlerin,
Car vous m'avez promis ce jour de m'en parler.

BASSANIO

'Tis not unknown to you, Antonio,
How much I have disabled mine estate,
By something showing a more swelling port
Than my faint means would grant continuance:
Nor do I now make moan to be abridged
From such a noble rate, but my chief care
Is to come fairly off from the great debts
Wherein my time, something too prodigal,
130 Hath left me gaged... To you, Antonio,
I owe the most in money and in love,
And from your love I have a warranty
To unburthen all my plots and purposes
How to get clear of all the debts I owe.

ANTONIO

I pray you, good Bassanio, let me know it,
And if it stand, as you yourself still do,
Within the eye of honour, be assured,
My purse, my person, my extremest means,
Lie all unlocked to your occasions.

BASSANIO

140 In my school-days, when I had lost one shaft,
I shot his fellow of the self-same flight
The self-same way, with more advisèd watch,
To find the other forth, and by adventuring both,
I oft found both: I urge this childhood proof,
Because what follows is pure innocence...
I owe you much, and, like a wilful youth,
That which I owe is lost—but if you please
To shoot another arrow that self way
Which you did shoot the first, I do not doubt,
150 As I will watch the aim, or to find both,
Or bring your latter hazard back again,
And thankfully rest debtor for the first.

ANTONIO

You know me well, and herein spend but time
To wind about my love with circumstance,

BASSANIO

Vous n'êtes pas sans savoir, Antonio,
A quel point j'ai délabré ma fortune
En montrant quelque peu plus grande allure
Que ne saurait le maintenir mon peu de bien ;
Et je ne gémis pas de retrancher
A si grand train, mais mon principal soin
Est de me bien tirer des lourdes dettes
Où ma jeunesse un peu trop dépensière
M'a engagé... C'est à vous, Antonio,
Que je dois le plus en argent comme en amour
Et c'est ce même amour chez vous, qui m'autorise
A dévoiler les plans et projets que je forme
Pour me désencombrer de tant de dettes.

ANTONIO

Je vous prie, Bassanio, dites-les-moi
Et s'ils sont, comme vous-même l'êtes toujours,
Sous les yeux de l'honneur, soyez-en sûr,
Ma bourse, ma personne et mes derniers moyens
Sont tout débridés à votre service.

BASSANIO

Quand, encore écolier, je perdais une flèche,
Je lançais sa pareille à la même portée,
En même direction, mais la regardant mieux
Pour trouver la première et, en en risquant deux,
Les retrouvais : je prends cet exemple enfantin
Car ce qui suit n'est que pure candeur.
Je vous dois tant et j'ai, jeune fantasque,
Perdu ce que je dois ; mais, s'il vous plaît,
Lancez une autre flèche en même direction
Que la première et je ne doute pas,
Tant je suivrai son vol, ou de trouver les deux
Ou de vous rapporter la dernière hasardée
Et vous devoir la première avec gratitude.

ANTONIO

Vous me connaissez bien et perdez votre temps
A contourner mon affection par tant d'ambages,

And out of doubt you do me now more wrong
In making question of my uttermost
Than if you had made waste of all I have:
Then do but say to me what I should do
That in your knowledge may by me be done,
160 And I am prest unto it: therefore, speak.

BASSANIO

In Belmont is a lady richly left,
And she is fair, and, fairer than that word,
Of wondrous virtues—sometimes from her eyes
I did receive fair speechless messages...
Her name is Portia, nothing undervalued
To Cato's daughter, Brutus' Portia—
Nor is the wide world ignorant of her worth,
For the four winds blow in from every coast
Renownéd suitors, and her sunny locks
170 Hang on her temples like a golden fleece,
Which makes her seat of Belmont Colchos' strand,
And many Jasons come in quest of her...
O my Antonio, had I but the means
To hold a rival place with one of them,
I have a mind presages me such thrift,
That I should questionless be fortunate.

ANTONIO

Thou know'st that all my fortunes are at sea,
Neither have I money nor commodity
To raise a present sum, therefore go forth,
180 Try what my credit can in Venice do—
That shall be racked, even to the uttermost,
To furnish thee to Belmont, to fair Portia...
Go, presently inquire, and so will I,
Where money is, and I no question make
To have it of my trust or for my sake.

[*they go.*

Vous me causez vraiment un plus grand tort
A mettre en question mon aide absolue
Que si vous gaspilliez tout ce que j'ai :
Dites-moi simplement, donc, ce que je dois faire,
Ce qui à votre avis peut être fait par moi
Et j'y suis prêt : par conséquent, parlez.

BASSANIO

Il y a dans Belmont une riche héritière
Et elle est belle et, mieux encor que belle,
D'étonnante vertu — quelquefois de ses yeux
J'ai reçu de beaux et muets messages...
Elle a pour nom Portia, elle vaut en tout point
La fille de Caton, la Portia de Brutus —
Et le vaste univers n'ignore pas son prix
Puisque les quatre vents lui vouent de tout rivage
D'illustres soupirants, et ses cheveux solaires
Lui décorent le front comme une toison d'or,
Faisant de son Belmont la plage de Colchos
Où maint Jason s'en vient en quête d'elle...
Mon Antonio, si j'avais les moyens
D'avoir rang de rival avec l'un d'eux,
Mon esprit me présage un tel succès
Que je serais, sans question, le vainqueur.

ANTONIO

Tu sais que ma fortune est toute sur la mer,
Et je n'ai ni argent ni possibilité
D'en avoir sur-le-champ, ainsi donc va,
Essaie tout ce que peut mon crédit dans Venise,
Lequel devra, pressuré à l'extrême,
Te nantir jusqu'à Belmont chez Portia la belle...
Va t'enquérir de suite, et moi de même,
Où trouver de l'argent, qu'il ne soit pas question
De savoir si c'est par crédit ou sympathie.

Ils sortent.

[I,2.]

The hall of Portia's house at Belmont; at the back a gallery and beneath it the entrance to an alcove concealed by a curtain

PORTIA *and her waiting-woman* NERISSA

PORTIA

By my troth, Nerissa, my little body is aweary of this great world.

NERISSA

You would be, sweet madam, if your miseries were in the same abundance as your good fortunes are: and yet for aught I see, they are as sick that surfeit with too much as they that starve with nothing; it is no mean happiness therefore to be seated in the mean—superfluity comes sooner by white hairs, but competency lives longer.

PORTIA

Good sentences, and well pronounced.

NERISSA

10 They would be better if well followed.

PORTIA

If to do were as easy as to know what were good to do, chapels had been churches, and poor men's cottages princes' palaces. It is a good divine that follows his own instructions. I can easier teach twenty what were good to be done, than be one of the twenty to follow mine own teaching... The brain may devise laws for the blood, but a hot temper leaps o'er a cold decree—such a hare is madness the youth, to skip o'er the meshes of good counsel the cripple... But this

SCÈNE II

La salle de la maison de Portia à Belmont ; au fond une galerie avec au-dessous une alcôve que dissimule un rideau

PORTIA *et sa suivante* NÉRISSA

PORTIA

En vérité, Nérissa, ma petite personne est lasse de ce grand univers.

NÉRISSA

Vous le seriez, douce maîtresse, si vos misères étaient aussi abondantes que le sont vos prospérités ; et pourtant, d'après ce que je vois, on souffre autant d'indigestion avec trop, que de famine avec rien ; ce n'est donc pas un bonheur moyen qu'une condition moyenne, car le superflu a vite les cheveux blanchis et la simple aisance vit plus longtemps.

PORTIA

Belles maximes et bien dites.

NÉRISSA

Elles seraient meilleures si elles étaient bien suivies.

PORTIA

S'il était aussi facile de faire que de savoir ce qu'il faut faire, les chapelles seraient des églises et les chaumières des palais. C'est un bon prêtre, celui qui observe ses sermons. Je saurais mieux enseigner à vingt personnes ce qu'il faut faire que d'être une de ces vingt qui suive mon enseignement... Le cerveau peut inventer des lois pour le sang, mais un tempérament bouillant saute par-dessus les froides règles. C'est un lièvre que la jolie folie pour bondir par-dessus les filets de l'infirme bon conseil... Mais ce

20 reasoning is not in the fashion to choose me a husband. O me, the word 'choose'! I may neither choose whom I would nor refuse whom I dislike—so is the will of a living daughter curbed by the will of a dead father... Is it not hard, Nerissa, that I cannot choose one, nor refuse none?

NERISSA

Your father was ever virtuous, and holy men at their death have good inspirations, therefore the lottery that he hath devised in these three chests of gold, silver and lead, whereof who chooses his meaning chooses you, will no doubt never be chosen by any rightly, but one 30 whom you shall rightly love... But what warmth is there in your affection towards any of these princely suitors that are already come?

PORTIA

I pray thee over-name them, and as thou namest [them,
I will describe them, and according to my description level at my affection.

NERISSA

First there is the Neapolitan prince.

PORTIA

Ay, that's a colt indeed, for he doth nothing but talk of his horse, and he makes it a great appropriation to his own good parts that he can shoe him himself: I am 40 much afeard my lady his mother played false with a smith.

NERISSA

Then is there the County Palatine.

PORTIA

He doth nothing but frown, as who should say, 'An you will not have me, choose!' He hears merry tales,

raisonnement n'est pas de mise pour me choisir un mari. Pauvre de moi ! Ce mot « choisir » ! Je ne puis ni choisir qui je voudrais, ni refuser qui me déplaît — ainsi la volonté de la fille vivante est bridée par la volonté du père mort. N'est-il pas dur, Nérissa, de ne pouvoir choisir quelqu'un ni refuser aucun ?

NÉRISSA

Votre père fut toujours vertueux et les saints à leur mort ont de bonnes inspirations ; c'est pourquoi cette loterie qu'il a imaginée de trois cassettes d'or, d'argent et de plomb, entre lesquelles, qui choisit celle qu'il veut, vous choisit,
ne saurait donner lieu à juste choix que du fait de qui vous aimerez justement... Mais quelle chaleur y a-t-il dans vos sentiments envers chacun de ces soupirants princiers qui sont déjà venus ?

PORTIA

Redis-moi leur nom, je te prie : à mesure que tu les nommeras je veux les décrire et à ma description tu jugeras mes sentiments.

NÉRISSA

Il y a d'abord le prince napolitain.

PORTIA

Ah ! oui, c'est un poulain de Naples, vraiment, car il ne fait que parler de son cheval et il prend pour un grand complément de ses mérites de savoir le ferrer lui-même : j'ai grand peur que Madame sa mère n'ait fauté avec un forgeron.

NÉRISA

Il y a ensuite le comte palatin.

PORTIA

Il ne fait que froncer le sourcil comme un qui dirait : « Si vous ne voulez pas de moi, à votre choix ! » Il

and smiles not. I fear he will prove the weeping philosopher when he grows old, being so full of unmannerly sadness in his youth... I had rather be married to a death's-head with a bone in his mouth than to either of these: God defend me from these two!

NERISSA

How say you by the French lord, Monsieur Le Bon?

PORTIA

50 God made him, and therefore let him pass for a man—In truth, I know it is a sin to be a mocker, but he! why, he hath a horse better than the Neapolitan's, a better bad habit of frowning than the Count Palatine—he is every man in no man—if a throstle sing, he falls straight a cap'ring—he will fence with his own shadow. If I should marry him, I should marry twenty husbands... If he would despise me I would forgive him, for if he love me to madness, I shall never requite him.

NERISSA

What say you then to Falconbridge, the young baron
60 of England?

PORTIA

You know I say nothing to him, for he understands not me, nor I him: he hath neither Latin, French, nor Italian, and you will come into the court and swear that I have a poor pennyworth in the English... He is a proper man's picture, but, alas! who can converse with a dumb-show? How oddly he is suited! I think he bought his doublet in Italy, his round hose in France, his bonnet in Germany, and his behaviour every where.

NERISSA

What think you of the Scottish lord, his neighbour?

écoute les histoires drôles sans sourire. Je crains qu'en vieillissant il ne devienne le philosophe pleurard [3], pour être si plein d'incivile tristesse dès sa jeunesse. J'aimerais mieux être mariée à une tête de mort avec un os dans la bouche qu'à l'un ou à l'autre : Dieu me garde de ces deux-là !

NÉRISSA

Que dites-vous du seigneur français, Monsieur Le Bon ?

PORTIA

Dieu l'a fait : qu'il passe donc pour un homme. En vérité je sais que c'est un péché de railler, mais lui ! quoi, il a un cheval meilleur que celui du Napolitain, une meilleure mauvaise habitude de froncer les sourcils que le comte palatin — il est tout le monde et personne — si une grive chante, il se lance à cabrioler — il se battrait en duel avec son ombre. Si je l'épousais, j'épouserais vingt maris... S'il me dédaignait je lui pardonnerais, car m'aimerait-il à la folie, je ne le lui rendrais jamais.

NÉRISSA

Que vous dit alors Falconbridge, le jeune baron d'Angleterre ?

PORTIA

Vous savez il ne me dit rien, car il ne me comprend pas, ni moi lui : il ne sait ni le latin, ni le français, ni l'italien et vous jurerez volontiers au tribunal que je ne sais pas un son d'anglais... C'est l'image d'un bel homme mais, hélas ! qui parlerait avec un mannequin ? Comme il est accoutré de bric et de broc ! Je pense qu'il a acheté son pourpoint en Italie, son haut-de-chausse en France, sa toque en Allemagne et ses manières partout.

NÉRISSA

Que pensez-vous du seigneur écossais, son proche voisin ?

PORTIA

70 That he hath a neighbourly charity in him, for he borrowed a box of the ear of the Englishman, and swore he would pay him again when he was able: I think the Frenchman became his surety, and sealed under for another.

NERISSA

How like you the young German, the Duke of Saxony's nephew?

PORTIA

Very vilely in the morning when he is sober, and most vilely in the afternoon when he is drunk: when he is best, he is a little worse than a man, and when he is worst, he is little better than a beast—an the worst fall that ever
80 fell, I hope I shall make shift to go without him.

NERISSA

If he should offer to choose, and choose the right casket, you should refuse to perform your father's will, if you should refuse to accept him.

PORTIA

Therefore, for fear of the worst, I pray thee set a deep glass of rhenish wine on the contrary casket, for if the devil be within, and that temptation without, I know he will choose it... I will do any thing, Nerissa, ere I will be married to a sponge.

NERISSA

You need not fear, lady, the having any of these
90 lords—they have acquainted me with their determinations, which is indeed to return to their home, and to trouble you with no more suit, unless you may be won by some other sort than your father's imposition depending on the caskets.

PORTIA

If I live to be as old as Sibylla, I will die as chaste as Diana, unless I be obtained by the manner of my

PORTIA

Qu'il a la charité envers le prochain car il a emprunté un soufflet à l'Anglais et juré de le lui rembourser dès qu'il pourrait : je pense que le Français s'en est porté caution [4] et s'est engagé à en rendre un autre.

NÉRISSA

Comment vous semble le jeune Allemand neveu du duc de Saxe ?

PORTIA

Très infect le matin quand il est à jeun et plus infect encore l'après-midi quand il est ivre : au mieux il est un peu au-dessous de l'homme, au pire il est à peine au-dessus de la bête — et dans le plus grand malheur qui m'advienne, j'espère trouver moyen de me passer de lui.

NÉRISSA

S'il s'offrait à choisir et choisissait le bon coffret, vous refuseriez d'accomplir la volonté de votre père en refusant de l'accepter.

PORTIA

C'est pourquoi, par crainte du pire, je te prie de mettre un grand verre de vin du Rhin sur le mauvais coffret, car si le diable était dedans et cette tentation dessus, je sais qu'il le choisirait... je ferai tout, Nérissa, avant d'épouser une éponge.

NÉRISSA

Vous n'avez pas à craindre, Madame, d'avoir l'un de ces seigneurs : ils m'ont informée de leur résolution de retourner chez eux et de ne plus vous importuner de leur demande, à moins qu'on puisse vous gagner par un autre moyen que le choix des coffrets qu'imposa votre père.

PORTIA

Vivrais-je aussi vieille que la Sibylle, je mourrai aussi chaste que Diane à moins d'être obtenue selon la

father's will: I am glad this parcel of wooers are so reasonable, for there is not one among them but I dote on his very absence: and I pray God grant them a fair departure.

NERISSA

Do you not remember, lady, in your father's time, a
100 Venetian, a scholar and a soldier, that came hither in company of the Marquis of Montferrat?

PORTIA

Yes, yes, it was Bassanio, as I think so was he called.

NERISSA

True, madam, he, of all the men that ever my foolish eyes looked upon, was the best deserving a fair lady.

PORTIA

I remember him well, and I remember him worthy of thy praise...

A servant enters.

How now! what news?

SERVANT

The four strangers seek for you, madam, to take their leave: and there is a forerunner come from a fifth, the
110 Prince of Morocco, who brings word the prince his master will be here to-night.

PORTIA

If I could bid the fifth welcome with so good heart as I can bid the other four farewell, I should be glad of his approach: if he have the condition of a saint, and the complexion of a devil, I had rather he should shrive me than wive me...

volonté de mon père. Je suis bien aise que cette bande de soupirants soit si raisonnable, car il n'est aucun d'eux de l'absence duquel je ne raffole : et je prie Dieu de leur accorder bon départ.

NÉRISSA

Vous souvenez-vous, madame, — c'était du temps de votre père — d'un Vénitien, soldat et lettré, qui vint ici en compagnie du marquis de Montferrat ?

PORTIA

Oui, oui, c'était Bassanio, je crois du moins qu'on l'appelait ainsi.

NÉRISSA

Justement, madame, il était, de tous les hommes que jamais mes yeux de sotte aient regardés, le plus digne d'une belle dame.

PORTIA

Je me souviens bien de lui, et je me souviens qu'il était digne de tes éloges.

Entre un serviteur.

Eh bien ! Quelles nouvelles ?

LE SERVITEUR

Les quatre étrangers vous cherchent, madame, pour prendre congé et il y a un courrier envoyé par un cinquième, le prince du Maroc, qui annonce l'arrivée du prince son maître pour ce soir.

PORTIA

Si je pouvais souhaiter la bienvenue au cinquième d'aussi bon cœur que je peux souhaiter bon voyage aux quatre autres, je serais bien aise de son approche : s'il a le caractère d'un saint et la couleur d'un diable, je le prendrais plutôt pour mon confesseur que pour mon épouseur...

Come, Nerissa. Sirrah, go before:
Whiles we shut the gate upon one wooer, another knocks at the door.

[*they go out.*

[I,3.]

A street in Venice, before Shylock's house

BASSANIO *and* SHYLOCK

SHYLOCK

Three thousand ducats—well.

BASSANIO

Ay, sir, for three months.

SHYLOCK

For three months—well.

BASSANIO

For the which, as I told you, Antonio shall be bound.

SHYLOCK

Antonio shall become bound—well.

BASSANIO

May you stead me? Will you pleasure me? Shall I know your answer?

SHYLOCK

Three thousand ducats for three months—and Antonio bound.

Viens Nérissa. Maraud, passe devant.
Pendant que nous fermons la grille sur un soupirant, un autre frappe à la porte.

Ils sortent.

SCÈNE III

Une rue à Venise, devant la maison de Shylock

BASSANIO *et* SHYLOCK

SHYLOCK

Trois mille ducats — bon.

BASSANIO

Oui, monsieur, pour trois mois.

SHYLOCK

Pour trois mois — bon.

BASSANIO

De laquelle somme, comme je vous disais, Antonio sera garant.

SHYLOCK

Antonio deviendra garant — bon.

BASSANIO

Pouvez-vous m'aider ? Voulez-vous me faire plaisir ? Aurai-je votre réponse ?

SHYLOCK

Trois mille ducats pour trois mois — Antonio garant.

BASSANIO

10 Your answer to that.

SHYLOCK

Antonio is a good man.

BASSANIO

Have you heard any imputation to the contrary?

SHYLOCK

Ho no, no, no, no... my meaning in saying he is a good man, is to have you understand me that he is sufficient. Yet his means are in supposition... He hath an argosy bound to Tripolis, another to the Indies—I understand moreover upon the Rialto, he hath a third at Mexico, a fourth for England, and other ventures he hath squandered abroad. But ships
20 are but boards, sailors but men—there be land-rats and water-rats, land-thieves and water-thieves—I mean pirates—and then there is the peril of waters, winds, and rocks... The man is, notwithstanding, sufficient. Three thousand ducats—I think I may take his bond.

BASSANIO

Be assured you may.

SHYLOCK

I will be assured I may: and, that I may be assured, I will bethink me—may I speak with Antonio?

BASSANIO

If it please you to dine with us.

(SHYLOCK

Yes, to smell pork, to eat of the habitation which your
30 prophet the Nazarite conjured the devil into... I will

BASSANIO

Votre réponse à cela ?

SHYLOCK

Antonio est un homme de bien.

BASSANIO

Avez-vous entendu quelque imputation contraire ?

SHYLOCK

Oh ! non, non, non, non... ce que je veux dire par homme de bien et que vous devez comprendre, c'est qu'il a du bien. Cependant sa fortune est exposée... Il a un galion en route vers Tripoli, un autre vers les Indes. J'apprends de plus, sur le Rialto, qu'il en a un troisième au Mexique, un quatrième vers l'Angleterre et d'autres entreprises éparpillées au loin. Mais les navires ne sont que des planches et les marins que des hommes — il y a les rats de terre et les rats d'eau, les voleurs sur terre et les voleurs sur eau — je veux dire les pirates — et puis il y a le danger des eaux, des vents et des rochers... L'homme est néanmoins solvable. Trois mille ducats. Je pense pouvoir accepter son billet.

BASSANIO

Vous le pouvez, soyez sûr.

SHYLOCK

Je veux être sûr de pouvoir et pour en être sûr je veux y réfléchir... puis-je parler à Antonio ?

BASSANIO

S'il vous plaît de dîner avec nous.

(SHYLOCK

Oui, pour renifler du porc, pour manger de cet habitacle où votre prophète le Nazaréen conjura le diable

buy with you, sell with you, talk with you, walk with you, and so following: but I will not eat with you, drink with you, nor pray with you... [*aloud*] What news on the Rialto? Who is he comes here?

Antonio approaches.

BASSANIO

This is Signior Antonio.

[he draws Antonio aside.

(SHYLOCK

How like a fawning publican he looks!
I hate him for he is a Christian:
But more for that in low simplicity
He lends out money gratis, and brings down
40 The rate of usance here with us in Venice...
If I can catch him once upon the hip,
I will feed fat the ancient grudge I bear him...
He hates our sacred nation, and he rails,
Even there where merchants most do congregate,
On me, my bargains, and my well-won thrift,
Which he calls interest... Curséd be my tribe,
If I forgive him!

BASSANIO [*turns*]

Shylock, do you hear?

SHYLOCK

I am debating of my present store,
And by the near guess of my memory
50 I cannot instantly raise up the gross
Or full three thousand ducats: what of that?
Tubal a wealthy Hebrew of my tribe
Will furnish me; but solf—how many months
Do you desire? [*bows to Antonio*] Rest you fair, good [signior,
Your worship was the last man in our mouths.

d'entrer... Je veux acheter avec vous, vendre avec vous, parler avec vous, marcher avec vous et ainsi de suite : mais je ne veux pas manger avec vous, boire avec vous ni prier avec vous... *(haut)* Quelles nouvelles au Rialto ? Qui est-ce qui vient ici ?

Antonio approche.

BASSANIO

C'est le signor Antonio.

Bassanio tire Antonio à l'écart.

(SHYLOCK

Comme il vous a l'air d'un publicain flagorneur !
Je le hais de ce qu'il est un chrétien ;
Mais plus encore de ce que, vil naïf,
Il prête argent gratis et fait baisser
Le taux ici, parmi nous, dans Venise.
Si je le tiens une fois sur le flanc
J'assouvirai sur lui ma vieille haine...
Il déteste notre saint peuple et raille,
Où les marchands s'agglutinent le plus,
Moi, mes contrats et mes gains légitimes
Qu'il nomme usure... Ah ! maudit soit mon peuple
Si je pardonne !

BASSANIO, *se retournant*

Entendez-vous, Shylock ?

SHYLOCK

Je supputais mes possibilités
Et, en gros, d'après les calculs de ma mémoire
Je ne puis sur-le-champ trouver la somme
Des trois mille ducats complets : qu'importe ?
Tubal, un riche Hébreu de ma tribu,
Me fournira ; mais, doucement — combien de mois
Désirez-vous ? (*à Antonio*) Bonheur à vous, signor !
Votre Honneur était juste sur nos lèvres.

ANTONIO

Shylock, albeit I neither lend nor borrow
By taking nor by giving of excess,
Yet to supply the ripe wants of my friend
I'll break a custom... [*to Bassanio*] Is he yet possessed
60 How much ye would?

SHYLOCK

Ay, ay, three thousand ducats.

ANTONIO

And for three months.

SHYLOCK

I had forgot—three months—you told me so...
Well then, your bond: and let me see—but hear you,
Methoughts you said you neither lend nor borrow
Upon advantage.

ANTONIO

I do never use it.

SHYLOCK

When Jacob grazed his uncle Laban's sheep,
This Jacob from our holy Abram was
(As his wise mother wrought in his behalf)
The third possessor; ay, he was the third—

ANTONIO

70 And what of him? did he take interest?

SHYLOCK

No, not take interest—not as you would say
Directly interest—mark what Jacob did.
When Laban and himself were compromised
That all the eanlings which were streaked and pied
Should fall as Jacob's hire, the ewes, being rank
In end of autumn, turnéd to the rams,

ANTONIO

Shylock, encor que je ne prête ni n'emprunte,
Ne prenant ni ne donnant d'intérêts,
Pourtant, pour les pressants besoins de mon ami
Je romprai ma coutume... (*à Bassanio*) Est-ce qu'il sait
Ce qu'il vous faut ?

SHYLOCK

Oui, trois mille ducats.

ANTONIO

Et pour trois mois.

SHYLOCK

Je l'oubliais — trois mois — vous l'aviez dit...
Bon, le billet : voyons — mais écoutez,
Vous disiez ne prêter ni n'emprunter
A intérêt.

ANTONIO

Je ne le fais jamais

SHYLOCK

Quand Jacob paissait les troupeaux d'oncle Laban
Ce Jacob qui de notre saint Abram était
(Selon qu'en sa faveur fit sa mère avisée [5])
Le troisième héritier ; oui, c'était le troisième.

ANTONIO

Et alors ? Prêtait-il à intérêt ?

SHYLOCK

Non, pas à intérêt — à strictement parler,
Pas à intérêt. Notez ce que Jacob fit [6].
Quand Laban et lui furent convenus
Que tous les agnelets rayés et mouchetés
Seraient à Jacob, les brebis, étant en rut
En fin d'automne, allaient vers les béliers

And when the work of generation was
Between these woolly breeders in the act,
The skilful shepherd pilled me certain wands,
80 And, in the doing of the deed of kind,
He stuck them up before the fulsome ewes,
Who, then conceiving, did in eaning time
Fall parti-coloured lambs, and those were Jacob's...
This was a way to thrive, and he was blest:
And thrift is blessing if men steal it not.

ANTONIO

This was a venture, sir, that Jacob served for—
A thing not in his power to bring to pass,
But swayed and fashioned by the hand of heaven...
Was this inserted to make interest good?
90 Or is your gold and silver ewes and rams?

SHYLOCK

I cannot tell, I make it breed as fast—
But note me, signior.

(ANTONIO

Mark you this, Bassanio,
The devil can cite Scripture for his purpose.
An evil soul, producing holy witness,
Is like a villain with a smiling cheek,
A goodly apple rotten at the heart...
O, what a goodly outside falsehood hath!

SHYLOCK

Three thousand ducats—'tis a good round sum...
Three months from twelve, then let me see the rate.

ANTONIO

100 Well, Shylock, shall we be beholding to you?

SHYLOCK

Signior Antonio, many a time and oft
In the Rialto you have rated me

Et lorsque l'œuvre de génération
Etait en train parmi les fournisseurs de laine
L'astucieux berger pelait certaines baguettes,
Puis, au moment de l'acte de nature,
Il les plantait devant les brebis en chaleur
Qui, concevant alors, au temps de l'agnelage
Mettaient bas des petits bigarrés pour Jacob...
C'était un moyen de gain et il fut béni :
Gain, c'est bénédiction quand il n'y a pas vol.

ANTONIO

C'était un risque, monsieur, que Jacob courait —
Chose qu'il n'était en son pouvoir de produire
Mais réglée et façonnée par la main du ciel...
Inséra-t-on ceci pour justifier l'usure ?
Ou votre or et votre argent sont-ils brebis et béliers ?

SHYLOCK

Je ne sais pas, je les fais se reproduire aussi vite —
Mais écoutez, signor.

(ANTONIO

Remarquez, Bassanio,
Que le diable, à ses fins, peut citer l'Ecriture.
L'âme mauvaise employant le saint témoignage
Est comme un scélérat le sourire à la joue,
Une pomme jolie pourrie au cœur...
Oh ! quels jolis dehors se donne le mensonge !

SHYLOCK

Trois milliers de ducats, c'est belle et ronde somme...
Trois mois sur douze, alors voyons le taux.

ANTONIO

Eh bien, Shylock, deviendrons-nous vos débiteurs ?

SHYLOCK

Monseigneur Antonio, mainte et souvente fois
Sur le Rialto vous m'avez attaqué

About my moneys and my usances:
Still have I borne it with a patient shrug,
For suff'rance is the badge of all our tribe.
You call me misbeliever, cut-throat dog,
And spet upon my Jewish gaberdine,
And all for use of that which is mine own...
Well then, it now appears you need my help:
110 Go to then, you come to me, and you say,
'Shylock, we would have money's—you say so!
You that did void your rheum upon my beard,
And foot me as you spurn a stranger cur
Over your threshold—moneys is your suit.
What should I say to you? Should I not say
'Hath a dog money? is it possible
A cur can lend three thousand ducats?' or
Shall I bend low, and in a bondman's key,
With bated breath, and whisp'ring humbleness,
120 Say this:
'Fair sir, you spet on me on Wednesday last—
You spurned me such a day—another time
You called me dog: and for these courtesies
I'll lend you thus much moneys'?

ANTONIO

I am as like to call thee so again,
To spet on thee again, to spurn thee too.
If thou wilt lend this money, lend it not
As to thy friends—for when did friendship take
A breed for barren metal of his friend?—
130 But lend it rather to thine enemy,
Who if he break, thou mayst with better face
Exact the penalty.

SHYLOCK

Why, look you, how you storm!
I would be friends with you, and have your love,
Forget the shames that you have stained me with,
Supply your present wants, and take no doit
Of usance for my moneys, and you'll not hear me:
This is kind I offer.

Pour mon argent et ce qu'il me rapporte :
J'ai, calme, supporté d'un haussement d'épaule,
Car la patience est la marque de notre peuple.
Vous m'appelez mécréant et chien d'étrangleur
Et crachez sur ma casaque de Juif,
Tout cela parce que j'emploie ce qui est mien...
Or il paraît que vous avez besoin de moi :
Voilà que vous venez à moi et dites
« Shylock, il nous faut de l'argent » — ainsi vous dites !
Vous qui vidiez vos crachats sur ma barbe,
Et me bottiez comme on chasse un roquet intrus
Loin de son seuil — c'est de l'argent que vous voulez.
Que vous répondre alors ? Ne devrais-je pas dire
« Est-ce qu'un chien a de l'argent ? est-il possible
Au roquet de prêter trois mille ducats ? » ou
Dois-je me courber bas et, sur un ton servile,
D'un souffle contenu dans un humble murmure,
Dire ceci :
« Vous crachiez sur moi mercredi dernier, beau sire,
Me repoussiez du pied tel jour — une autre fois
M'appeliez chien et pour ces courtoisies
Je vais vous prêter l'argent que voici » ?

ANTONIO

Je suis capable encor de te nommer ainsi,
D'encor cracher sur toi, d'aussi te repousser.
Si tu veux nous prêter cet argent, ne le prête pas
Comme à tes amis — car l'amitié tire-t-elle
Un fruit du métal stérile de son ami [7] ? —
Mais prête-le plutôt comme à ton ennemi
Pour qui, s'il fait défaut, tu peux d'un meilleur front
Exiger châtiment.

SHYLOCK

Comme vous tempêtez !
Je me voudrais de vos amis, être en vos grâces,
Oublier les affronts dont vous m'avez souillé,
Fournir à vos besoins présents sans prendre un liard
D'intérêt sur mon prêt, et vous n'entendez rien :
C'est gentil ce que j'offre.

ANTONIO

This were kindness.

SHYLOCK

This kindness will I show.
Go with me to a notary, seal me there
140 Your single bond, and, in a merry sport,
If you repay me not on such a day,
In such a place, such sum or sums as are
Expressed in the condition, let the forfeit
Be nominated for an equal pound
Of your fair flesh, to be cut off and taken
In what part of your body pleaseth me.

ANTONIO

Content, in faith—I'll seal to such a bond,
And say there is much kindness in the Jew.

BASSANIO

You shall not seal to such a bond for me,
150 I'll rather dwell in my necessity.

ANTONIO

Why, fear not man, I will not forfeit it.
Within these two months, that's a month before
This bond expires, I do expect return
Of thrice three times the value of this bond.

SHYLOCK

O father Abram! what these Christians are,
Whose own hard dealing teaches them suspect
The thoughts of others... Pray you, tell me this—
If he should break his day, what should I gain
By the exaction of the forfeiture?
160 A pound of man's flesh, taken from a man,
Is not so estimable, profitable neither,
As flesh of muttons, beefs, or goats. I say,
To buy his favour, I extend this friendship.

ANTONIO

Ce serait gentillesse.

SHYLOCK

Et que je veux montrer.
Venez chez le notaire avec moi, signez-moi
Une simple reconnaissance et, par boutade,
Si vous ne me remboursez pas tel jour,
En tel endroit, la ou les sommes qui seront
Mentionnées au contrat, que le dédit
Se fixe à une livre exactement
De votre belle chair à découper et prendre
En la partie de votre corps qu'il me plaira.

ANTONIO

D'accord, ma foi — je signerai ce billet-là
Et je dirai combien le Juif est obligeant.

BASSANIO

Vous ne signerez pas pour moi pareil billet,
Je resterai plutôt dans ma nécessité.

ANTONIO

Que craindre, ami, j'entends bien l'honorer.
D'ici deux mois, par conséquent un mois avant
Qu'expire ce billet, je compte recevoir
Trois fois autant que le triple de ce billet.

SHYLOCK

O père Abram ! que sont donc ces chrétiens
Dont la dureté leur enseigne à suspecter
Les intentions d'autrui... Je vous prie, dites-moi :
S'il manque au jour venu, que gagnerais-je
A l'exigence du dédit prévu ?
Une livre de chair humaine ôtée d'un homme
N'est ni prisée ni profitable autant
Que la chair des moutons, bœufs ou chèvres. Je dis
Qu'afin de le gagner, j'offre cette amitié.

If he will take it, so—if not, adieu,
And, for my love, I pray you wrong me not.

ANTONIO

Yes, Shylock, I will seal unto this bond.

SHYLOCK

Then meet me forthwith at the notary's,
Give him direction for this merry bond,
And I will go and purse the ducats straight,
170 See to my house left in the fearful guard
Of an unthrifty knave; and presently
I will be with you.

ANTONIO

Hie thee, gentle Jew...

[Shylock enters his house.

The Hebrew will turn Christian—he grows kind.

BASSANIO

I like not fair terms and a villain's mind.

ANTONIO

Come on—in this there can be no dismay,
My ships come home a month before the day.

[they walk away.

S'il accepte, c'est bien — sinon, adieu,
Et, je vous en prie, n'outragez pas ma bonté.

ANTONIO

Mais oui, Shylock, je te signerai ton billet.

SHYLOCK

Alors, rendez-vous de ce pas chez mon notaire,
Faites-lui rédiger cet amusant contrat
Et moi j'irai d'un trait me pourvoir des ducats,
Voir mon logis laissé en périlleuse garde
A mon valet prodigue et sur-le-champ
Me retrouve avec vous.

ANTONIO

Va vite, brave Juif...

Shylock rentre en sa maison.

L'Hébreu tourne au chrétien — il se fait généreux.

BASSANIO

Je n'aime pas beau dire et cœur de chenapan.

ANTONIO

Allons, aucun péril en ceci : mes vaisseaux
Seront au port un mois avant le jour fixé.

Ils sortent.

ACTE II

[II, 1.]

The hall of Portia's house at Belmont

Enter the Prince of MOROCCO, *'a tawny Moor all in white, and three of four followers accordingly, with* PORTIA, NERISSA, *and their train'.*

MOROCCO

Mislike me not for my complexion,
The shadowed livery of the burnished sun,
To whom I am a neighbour and near bred.
Bring me the fairest creature northward born,
Where Phœbus' fire scarce thaws the icicles,
And let us make incision for your love,
To prove whose blood is reddest, his or mine.
I tell thee, lady, this aspéct of mine
Hath feared the valiant. By my love, I swear
10 The best-regarded virgins of our clime
Have loved it too... I would not change this hue,
Except to steal your thoughts, my gentle queen.

PORTIA

In terms of choice I am not solely led
By nice direction of a maiden's eyes:
Besides, the lott'ry of my destiny
Bars me the right of voluntary choosing:
But if my father had not scanted me

SCÈNE PREMIÈRE

La salle de la maison de Portia à Belmont

Entre le prince de Maroc, 'un Maure basané, tout en blanc, et trois ou quatre suivants vêtus de même avec PORTIA, NÉRISSA *et leur suite'.*

MAROC

Ne me prenez pas en aversion pour mon teint,
C'est l'ombreuse livrée du soleil miroitant
Pour qui je suis un voisin et frère de lait.
Amenez-moi le plus bel être né au Nord
Où le feu de Phébus à peine fond les glaces,
Et faisons-nous des incisions pour votre amour
Afin de voir de qui le sang est le plus rouge.
Je te le dis, ô dame, ce visage
A fait trembler les preux. Par mon amour, je jure
Que les plus dignes vierges de notre climat
L'en ont aimé... Je ne changerais ma couleur
Que pour séduire vos pensées, ma gente reine.

PORTIA

Je ne suis pas guidée, dans mon choix, simplement
Par le penchant délicat d'un regard de vierge ;
D'ailleurs, la loterie de mon destin
M'ôte le droit de choisir à mon gré ;
Mais si mon père ne m'avait astreinte,

And hedged me by his wit, to yield myself
His wife who wins me by that means I told you,
20 Yourself, renownéd prince, then stood as fair
As any comer I have looked on yet
For my affection.

MOROCCO

Even for that I thank you.
Therefore, I pray you, lead me to the caskets
To try my fortune... By this scimitar—
That slew the Sophy and a Persian prince
That won three fields of Sultan Solyman—
I would o'erstare the sternest eyes that look:
Outbrave the heart most daring on the earth:
Pluck the young sucking cubs from the she-bear,
30 Yea, mock the lion when a' roars for prey,
To win thee, lady... But, alas the while!
If Hercules and Lichas play at dice
Which is the better man, the greater throw
May turn by fortune from the weaker hand:
† So is Alcides beaten by his wag,
And so may I, blind fortune leading me,
Miss that which one unworthier may attain,
And die with grieving.

PORTIA

You must take your chance—
And either not attempt to choose at all,
40 Or swear, before you choose, if you choose wrong,
Never to speak to lady afterward
In way of marriage. Therefore be advised.

MOROCCO

Nor will not. Come, bring me unto my chance.

PORTIA

First, forward to the temple. After dinner
Your hazard shall be made.

En m'endiguant par son bon sens, à me donner
Pour femme à qui m'obtient par les moyens susdits,
Vous, prince fameux, prétendriez aussi bien
Qu'aucun candidat que j'aie encor vu
A mon affection.

MAROC

Et je vous en remercie.
Je vous prie donc de me conduire à ces coffrets
Pour tenter mon sort... Par ce cimeterre
Qui a tué le Sofi [8] et un prince de Perse
Trois fois vainqueur du Sultan Soliman [9],
Je ferais se baisser les yeux les plus farouches ;
Braverais le cœur le plus brave de la terre ;
Arracherais l'ourson des mamelles de l'ourse,
Oui, raillerais le lion qui rugit pour la proie,
Afin de t'obtenir, Madame... Hélas pourtant,
Si Hercule et Lichas jouent aux dés pour savoir
Qui sera le plus fort des deux, le meilleur coup
Peut venir par hasard de la plus faible main :
Ainsi Alcide est battu par son page,
Ainsi je puis, guidé par l'aveugle fortune,
Manquer ce qu'un moins digne peut atteindre
Et mourir de douleur.

PORTIA

Il faut courir vos chances :
Ou bien n'essayez pas du tout de faire un choix,
Ou bien jurez, avant le choix, s'il est mauvais
De ne jamais parler ensuite à une femme
De l'épouser. Soyez donc averti.

MAROC

D'accord ; allons, emmenez-moi vers mon destin.

PORTIA

Au temple d'abord ; après le dîner
Vous tenterez la chance.

MOROCCO

Good fortune then!
To make me blest or cursed'st among men.

[*they go.*

[II, 2.]

The street before Shylock's house

LANCELOT GOBBO *comes forth, scratching his head.*

LANCELOT

Certainly my conscience will serve me to run from this Jew my master... The fiend is at mine elbow, and tempts me, saying to me, 'Gobbo, Lancelot Gobbo, good Lancelot', or 'good Gobbo', or 'good Lancelot Gobbo, use your legs, take the start, run away'. My conscience says, 'No; take heed honest Lancelot, take heed honest Gobbo', or as aforesaid, 'honest Lancelot Gobbo, do not run, scorn running with thy heels'... Well, the most courageous fiend bids me
10 pack. 'Fia!' says the fiend, 'away!' says the fiend, 'for the heavens, rouse up a brave mind', says the fiend, 'and run'... Well, my conscience, hanging about the neck of my heart, says very wisely to me: 'My honest friend, Lancelot, being an honest man's so',—or rather an honest woman's son—for indeed my father did something smack, something grow to; he had a kind of taste; well, my conscience says, 'Lancelot, budge not'. 'Budge', says the fiend. 'Budge not', says my conscience. 'Conscience', say I, 'you counsel well'. 'Fiend', say I, 'you counsel well'. To be ruled
20 by my conscience, I should stay with the Jew my master, who (God bless the mark!) is a kind of devil; and to run away from the Jew, I should be ruled by

MAROC

A moi, fortune bonne !
Qui me peux bénir ou maudire entre les hommes.

Ils sortent.

SCÈNE II

La rue devant la maison de Shylock

Entre LANCELOT GOBBO *en se grattant la tête.*

LANCELOT

Certainement ma conscience m'autorisera à quitter ce Juif mon maître. Le démon est à mon coude, et me tente, me disant : « Gobbo, Lancelot, Gobbo, bon Lancelot » ou « bon Gobbo » ou « bon Lancelot Gobbo, joue des jambes, prends ton élan, décampe. » Ma conscience dit « non ; prends garde honnête Lancelot, prends garde honnête Gobbo », ou comme je disais « honnête Lancelot Gobbo, ne fuis pas, foule aux pieds ta fuite »... Bon, le démon le plus hardi m'ordonne de plier bagage. « Hue », dit le démon, « au large », dit le démon, « pour le ciel, un peu de cœur au ventre », dit le démon « et décampe »... Bon, ma conscience se pend au cou de mon cœur pour me dire très sagement : « Mon honnête ami Lancelot, fils d'un honnête homme » — ou plutôt fils d'une honnête femme — car de fait mon père sentait quelque chose, comme qui dirait le brûlé ; il avait une espèce d'arrière-goût ; bon, ma conscience dit : « Lancelot, ne bouge pas. » « Bouge », dit le démon. « Ne bouge pas », dit ma conscience. « Conscience », dis-je, « tu conseilles bien ». « Démon », dis-je, « tu conseilles bien ». Pour obéir à ma conscience je dois rester avec le Juif mon maître qui (Dieu me pardonne) est une sorte de diable ; et pour quitter le Juif je dois obéir au

the fiend, who, saving your reverence, is the devil himself... Certainly, the Jew is the very devil incarnation—and, in my conscience, my conscience is but a kind of hard conscience, to offer to counsel me to stay with the Jew... The fiend gives the more friendly counsel... I will run, fiend. My heels are at your commandment, I will run.

He runs, and stumbles into the arms of Old Gobbo, who comes along the street 'with a basket'.

OLD GOBBO [*gasps*]

Master young-man, you I pray you, which is the way to Master Jew's?

LANCELOT

30 O heavens, this is my true-begotten father, who being more than sand-blind, high gravel-blind, knows me not. I will try confusions with him.

OLD GOBBO

Master, young gentleman, I pray you which is the way to Master Jew's?

LANCELOT [*shouts in his ear*]

Turn up on your right hand at the next turning, but at the next turning of all on your left; marry at the very next turning turn of no hand, but turn down indirectly to the Jew's house.

OLD GOBBO

Be God's sonties, 'twill be a hard way to hit. Can you tell
40 me whether one Lancelot that dwells with him, dwell with him or no?

LANCELOT

Talk you of young Master Lancelot?—[*aside*] Mark me now, now will I raise the waters... Talk you of young Master Lancelot?

démon qui, sauf votre respect, est le diable lui-même... Pour sûr, le Juif est la vraie incarnation du diable et, en conscience, ma conscience n'est qu'une sorte de conscience cruelle pour m'aller conseiller de rester chez le Juif... C'est le démon qui donne le plus amical conseil... Je décamperai, démon. Mes talons sont à vos ordres, je décamperai.

Il fuit et tombe dans les bras du Vieux Gobbo qui vient par la rue 'avec un panier'.

LE VIEUX GOBBO *reprenant sa respiration*

Monsieur le jeune homme, oui vous, je vous prie, par où va-t-on chez Monsieur le Juif ?

LANCELOT

Ciel ! c'est mon père et vrai géniteur qui, plus que sablement aveugle et même gravièrement aveugle, ne me reconnaît pas. Je vais essayer de l'embrouiller.

LE VIEUX GOBBO

Monsieur, jeune gentilhomme, je vous prie, par où va-t-on chez Monsieur le Juif ?

LANCELOT *lui criant dans l'oreille*

Tournez à main droite au prochain tournant, mais au plus proche tournant, à votre gauche ; pardi au vrai prochain tournant ne tournez ni à droite ni à gauche mais entournez-vous indirectement vers la maison du Juif.

LE VIEUX GOBBO

Par les sangs de Dieu, ça sera un chemin dur à trouver. Pouvez-vous me dire si un certain Lancelot qui habite chez lui, habite chez lui ou non ?

LANCELOT

Parlez-vous du jeune Maître Lancelot ? (*à part*) Attention maintenant, maintenant je vais faire pleuvoir les grandes eaux... Parlez-vous du jeune Maître Lancelot ?

OLD GOBBO

No 'master', sir, but a poor man's son. His father, though I say't, is an honest exceeding poor man, and God be thanked well to live.

LANCELOT

Well, let his father be what a' will, we talk of young Master Lancelot.

OLD GOBBO

50 Your worship's friend and Lancelot, sir.

LANCELOT

But I pray you ergo old man, ergo I beseech you, talk you of young Master Lancelot.

OLD GOBBO

Of Lancelot, an't please your mastership.

LANCELOT

Ergo—Master Lancelot! Talk not of Master Lancelot, father, for the young gentleman—according to fates and destinies, and such odd sayings, the sisters three, and such branches of learning—is indeed deceased, or as you would say in plain terms, gone to heaven.

OLD GOBBO

Marry, God forbid! the boy was the very staff of my
60 age, my very prop.

(LANCELOT

Do I look like a cudgel or a hovel-post, a staff or a [prop?
Do you know me, father?

OLD GOBBO

Alack the day, I know you not, young gentleman, but I pray you tell me, is my boy—God rest his soul!—alive or dead?

LE VIEUX GOBBO

Non pas « Maître », monsieur, mais fils d'un pauvre homme. Son père, bien que ce soit moi qui le dise, est un honnête homme excessivement pauvre et, Dieu merci, en état de vivre.

LANCELOT

Bon, que son père soit ce qu'il veut, nous parlons du jeune Maître Lancelot.

LE VIEUX GOBBO

De Lancelot tout court, pour servir Votre Seigneurie.

LANCELOT

Mais, je vous prie, un peu de logique, vieillard, un peu de logique, je vous supplie : parlez-vous du jeune Maître Lancelot ?

LE VIEUX GOBBO

De Lancelot, s'il vous plaît, Maître.

LANCELOT

Ergo — de Maître Lancelot ! Ne parlez plus de Maître Lancelot, petit père, car ce jeune gentilhomme suivant les fatalités et les destins et les trois sœurs, et autres dénominations bizarres, est de fait décédé ou, comme vous diriez simplement, parti au ciel.

LE VIEUX GOBBO

Bonté ! Dieu m'en garde ! Ce garçon était mon seul bâton de vieillesse, mon seul soutien.

(LANCELOT

Est-ce que j'ai l'air d'un gourdin ou d'un poteau, d'un bâton ou d'un étai ? — Me reconnaissez-vous, petit père ?

LE VIEUX GOBBO

Hélas, je ne vous connais pas, jeune gentilhomme, mais je vous en prie, dites-moi si mon garçon — Dieu donne repos à son âme ! — est vivant ou mort.

LANCELOT

Do you not know me, father?

OLD GOBBO

Alack, sir, I am sand-blind, I know you not.

LANCELOT

Nay, indeed, if you had your eyes, you might fail of the knowing me: it is a wise father that knows his own
70 child... [*he kneels*] Well, old man, I will tell you news of your son. Give me your blessing. Truth will come to light, murder cannot be hid long, a man's son may, but in the end truth will out.

OLD GOBBO

Pray you, sir, stand up. I am sure you are not Lancelot, my boy.

LANCELOT

Pray you let's have no more fooling about it, but give me your blessing: I am Lancelot, your boy that was, your son that is, your child that shall be.

OLD GOBBO

I cannot think you are my son.

LANCELOT

80 I know not what I shall think of that: but I am Lancelot, the Jew's man, and I am sure Margery, your wife, is my mother.

OLD GOBBO

Her name is Margery, indeed. I'll be sworn, if thou be Lancelot, thou art mine own flesh and blood... [*he feels for Lancelot's face; Lancelot bows and presents the nape of*

LANCELOT

Vous ne me reconnaissez pas, petit père ?

LE VIEUX GOBBO

Hélas, monsieur, j'ai la vue trouble, je ne vous reconnais pas.

LANCELOT

De fait, même si vous aviez vos yeux, vous pourriez ne pas me reconnaître : il faut être un père sagace pour reconnaître son propre enfant... (*il s'agenouille*). Eh bien, vieillard, je vous conterai des nouvelles de votre fils. Donnez-moi votre bénédiction. La vérité viendra au jour, le meurtre ne peut pas être longtemps caché, le fils d'un homme le peut, mais à la fin la vérité paraît.

LE VIEUX GOBBO

Je vous prie, monsieur, levez-vous. Je suis sûr que vous n'êtes pas Lancelot, mon garçon.

LANCELOT

Je vous prie, cessons cette plaisanterie, donnez-moi votre bénédiction : Je suis Lancelot, qui était votre garçon, qui est votre fils, qui restera votre enfant.

LE VIEUX GOBBO

Je ne puis croire que vous êtes mon fils.

LANCELOT

Je ne sais ce que j'en dois croire : mais je suis Lancelot, l'homme du Juif, et je suis sûr que Marguerite, votre femme, est ma mère.

LE VIEUX GOBBO

De fait, elle s'appelle Marguerite. Je jurerai, si tu es Lancelot, que tu es ma chair et mon sang... (*Il cherche la figure de Lancelot : Lancelot se courbe et présente sa*

his neck] Lord worshipped might he be! what a beard has thou got! thou hast got more hair on thy chin than Dobbin my fill-horse has on his tail.

LANCELOT

It should seem then that Dobbin's tail grows back-
90 ward. I am sure he had more hair of his tail than I have of my face, when I last saw him.

OLD GOBBO

Lord, how art thou changed! How dost thou and thy master agree? I have brought him a present... How gree you now?

LANCELOT

Well, well—but, for mine own part, as I have set up my rest to run away, so I will not rest till I have run some ground... My master's a very Jew—give him a present! give him a halter—I am famished in his service... you may tell every finger I have with my ribs... Father, I am glad you are come. Give me your present
100 to one Master Bassanio, who indeed gives are new liveries. If I serve not him, I will run as far as God has any ground... O rare fortune! here comes the man—to him, father, for I am a Jew if I serve the Jew any longer.

Bassanio approaches with Leonardo and other followers.

BASSANIO [*talking to a servant*].

You may do so, but let it be so hasted that supper be ready at the farthest by five of the clock... See these letters delivered, put the liveries to making, and desire Gratiano to come anon to my lodging.

[*the servant goes.*

nuque). Le seigneur soit glorifié ! Quelle barbe t'est venue ! Il t'est venu plus de poil au menton que Dobbin mon cheval de carriole n'en a à la queue.

LANCELOT

Il semblerait alors que la queue de Dobbin pousse à l'envers. Je suis sûr qu'il avait plus de poil à la queue, quand je l'ai vu pour la dernière fois, que je n'en ai au visage.

LE VIEUX GOBBO

Seigneur, comme tu es changé ! Comment vous accordez-vous ton maître et toi ? Je lui ai apporté un cadeau... comment vous accordez-vous à c'tte heure ?

LANCELOT

Bien, bien, mais pour ma part, comme je ne demande mon reste qu'à la fuite je ne resterai quelque part qu'après avoir fui quelque peu... Mon maître est un vrai Juif — lui donner un cadeau, à lui ! donnez-lui une corde pour se pendre. — Je meurs de faim à son service... vous pouvez compter les phalanges de mes côtes... Père, je suis content que vous soyez venu. Donnez-moi votre cadeau pour ce Maître Bassanio qui donne, lui, de vraiment belles livrées neuves. Si je ne le sers pas, je fuirai aussi loin que Dieu étend le sol... O rare bonheur ! voici cet homme — attaquez-le, père, car je veux être Juif si je sers le Juif plus longtemps.

Bassanio approche avec Léonardo et d'autres suivants.

BASSANIO *à un valet*

Vous pouvez, mais qu'on se hâte afin que le souper soit prêt au plus tard pour cinq heures... Veillez à ce que ces lettres soient portées, faites confectionner les livrées et priez Gratiano de venir sur-le-champ chez moi.

Sort le valet.

LANCELOT [*thrusting forward the old man*]

To him, father.

OLD GOBBO [*bows*]

God bless your worship!

BASSANIO

110 Gramercy, wouldst thou aught with me?

OLD GOBBO

Here's my son, sir, a poor boy—

LANCELOT [*comes forward himself*]

Not a poor boy, sir, but the rich Jew's man that would, sir, as my father shall specify—

[*retreats behind his father.*

OLD GOBBO

He hath a great infection, sir, as one would say to serve—

LANCELOT [*comes forward*]

Indeed the short and the long is, I serve the Jew, and have a desire as my father shall specify—

[*retreats*

OLD GOBBO

His master and he (saving your worship's reverence) are scarce cater-cousins—

LANCELOT [*comes forward*]

To be brief, the very truth is, that the Jew having done
120 me wrong, doth cause me as my father being I hope an old man shall frutify, unto you—

[*retreats.*

LANCELOT *poussant le vieillard en avant*

Attaquez-le, père.

LE VIEUX GOBBO

Dieu bénisse Votre Honneur !

BASSANIO

Miséricorde, que me veux-tu ?

LE VIEUX GOBBO

Voici mon fils, monsieur, un pauvre garçon...

LANCELOT *s'avance à son tour*

Non un pauvre garçon, monsieur, mais le valet du riche Juif qui voudrait, monsieur, comme mon père le spécifiera...

Il se retire derrière son père.

LE VIEUX GOBBO

Il a une grande infection, monsieur, comme qui dirait d'entrer au service.

LANCELOT *s'avance*

De fait, en bref et en long, je sers le Juif et j'ai le désir comme mon père le spécifiera...

Il se retire.

LE VIEUX GOBBO

Son maître et lui (sauf votre respect) ne cousinent guère.

LANCELOT *s'avance*

Pour faire court, la vraie vérité est que le Juif m'ayant fait tort m'oblige, comme mon père qui est, j'espère, un vieillard vous le fructifiera...

Il se retire.

OLD GOBBO

I have here a dish of doves that I would bestow upon your worship, and my suit is—

LANCELOT [*comes forward*]

In very brief, the suit is impertinent to myself, as your worship shall know by this honest old man, and though I say it, though old man, yet poor man, my father.

BASSANIO

One speak for both. What would you?

LANCELOT

Serve you, sir.

OLD GOBBO

That is the very defect of the matter, sir.

BASSANIO

130 I know thee well, thou hast obtained thy suit.
Shylock, thy master, spoke with me this day,
And hath preferred thee, if it be preferment
To leave a rich Jew's service, to become
The follower of so poor a gentleman.

LANCELOT

The old proverb is very well parted between my master Shylock and you, sir—you have 'the grace of God', sir, and he hath 'enough'.

BASSANIO

Thou speak'st it well; go, father, with thy son.
Take leave of thy old master, and inquire
140 My lodging out. [*to his followers*] Give him a livery
More guarded than his fellows': see it done.

[*he talks with Leonardo apart.*

LE VIEUX GOBBO

J'ai ici un plat de pigeons que je voudrais donner à Votre Honneur et ma requête est...

LANCELOT, *s'avançant*

En un mot la requête est impertinente à mon endroit comme Votre Honneur le saura par cet honnête vieillard, et bien que ce soit moi qui le dise, bien que vieillard pourtant pauvre homme, mon père.

BASSANIO

Qu'un seul parle pour les deux. Que voulez-vous ?

LANCELOT

Vous servir, monsieur.

LE VIEUX GOBBO

C'est la vraie défection du sujet, monsieur.

BASSANIO

Je te connais bien. Tu as gagné ta requête.
Shylock ton maître aujourd'hui m'a parlé
Et te voilà promu si c'est bien promotion
Que de quitter un Juif cossu pour devenir
Le valet d'un si pauvre gentilhomme.

LANCELOT

Le vieux proverbe est fort bien partagé entre mon maître Shylock et vous, monsieur — vous avez la « grâce de Dieu », monsieur, et lui il a sa « suffisante [10] ».

BASSANIO

Tu parles bien ; va, père, avec ton fils.
Toi, prends congé de ton ancien maître et t'enquiers
De mon logis... (*à ses valets*) Ho ! qu'on lui donne une [livrée
Plus galonnée qu'à ses pareils : n'y manquez pas.

Il parle en aparté avec Léonardo.

LANCELOT

Father, in. I cannot get a service, no! I have ne'er a tongue in my head! Well... [*looking on his palm*] if any man in Italy have a fairer table which doth offer to swear upon a book I shall have good fortune... Go to, here's a simple line of life, here's a small trifle of wives—alas, fifteen wives is nothing, eleven widows, and nine maids, is a simple coming-in for one man—and then to scape drowning thrice, and to be in
150 peril of my life with the edge of a feather-bed. Here are simple scapes... Well, if Fortune be a woman, she's a good wench for this gear... Father, come. I'll take my leave of the Jew in the twinkling.

[*Lancelot and Old Gobbo enter Shylock's house.*

BASSANIO

I pray thee, good Leonardo, think on this.
These things being bought and orderly bestowed,
Return in haste, for I do feast to-night
My best-esteemed acquaintance. Hie thee, go.

LEONARDO

My best endeavours shall be done herein.

As he goes off he meets Gratiano coming along the street.

GRATIANO

Where's your master?

LEONARDO

Yonder, sir, he walks.

Leonardo departs.

GRATIANO

Signior Bassanio!

BASSANIO

Gratiano!

LANCELOT

Dedans, père. Je ne sais pas trouver une place, non ? Je n'ai jamais eu langue dans la tête ? Bon... (*regardant dans sa paume*). S'il est homme d'Italie avec plus belles lignes de la main pour s'offrir à jurer sur le Livre que j'aurai de la chance... Allez, voici une simple ligne de vie, voici un petit rien d'épouses — hélas, quinze femmes ce n'est rien, onze veuves et neuf filles c'est une simple mise en train pour un homme — et puis rescapé de noyade trois fois et ce péril de ma vie au fil... du lit de plume. Ce sont simples incidents... Bon, si la Fortune est femme c'est une bonne garce dans cette affaire... Venez, père. Je vais prendre congé du Juif en un clin d'œil.

Lancelot et le vieux Gobbo entrent dans la maison de Shylock.

BASSANIO

Je t'en prie, bon Léonardo, pense à la chose.
Tout étant acheté et mis en place,
Reviens en hâte, car ce soir je traite
Mes amis les plus estimés. Allons, va vite.

LÉONARDO

Je vais déployer là mon meilleur zèle.

Comme il sort il rencontre Gratiano qui vient par la rue.

GRATIANO

Où est votre maître ?

LÉONARDO

Ici, monsieur, il se promène.

Léonardo s'en va.

GRATIANO

Signor Bassanio !

BASSANIO

Gratiano !

GRATIANO

160 I have a suit to you.

BASSANIO

You have obtained it.

GRATIANO

You must not deny me—I must go with you to Bel-
[mont.

BASSANIO

Why, then you must. But hear thee Gratiano,
Thou art too wild, too rude, and bold of voice—
Parts that become thee happily enough,
And in such eyes as ours appear not faults;
But where thou art not known, why, there they show
Something too liberal. Pray thee, take pain
To allay with some cold drops of modesty
Thy skipping spirit, let through thy wild behaviour
170 I be miscónstrued in the place I go to,
And lose my hopes.

GRATIANO

Signior Bassanio, hear me—
If I do not put on a sober habit,
Talk with respect, and swear but now and then,
Wear prayer-books in my pocket, look demurely,
Nay more, while grace is saying, hood mine eyes
Thus with my hat, and sigh, and say 'amen';
Use all the observance of civility,
Like one well studied in a sad ostent
To please his grandam, never trust me more.

BASSANIO

180 Well, we shall see your bearing.

GRATIANO

Nay, but I bar to-night, you shall not gauge me
By what we do to-night.

GRATIANO

J'ai à vous demander...

BASSANIO

Cela vous est acquis.

GRATIANO

Il faut que vous ne me refusiez pas,
Il faut que j'aille avec vous à Belmont.

BASSANIO

Il le faut donc. Mais, Gratiano, écoute,
Tu es trop vif, trop brusque et tranchant en paroles —
Ces façons-là ne te vont pas trop mal
Et ne sont point des défauts à nos yeux ;
Mais, là où tu n'es pas connu, elles te font, ma foi,
Un air un peu trop libre. Ah ! prends-moi donc la
[peine
De calmer par quelques froides gouttes de retenue
Ta sautante humeur, de peur qu'à ta brusque allure
Je sois mésestimé dans l'endroit où je vais
Et perde mes espoirs.

GRATIANO

Écoute, Bassanio,
Si je ne me vêts pas d'une grave tenue,
Ne parle avec respect et ne jure que peu,
N'ai livres pieux en poche, un air pincé,
Mieux, ne cache mes yeux (quand on dira les grâces)
Ainsi, de mon chapeau, ne soupire et ne dis « amen »
Et n'observe les lois de la civilité
Comme un qui s'évertue à un sérieux maintien
Pour plaire à grand'maman, ne vous fiez plus à moi.

BASSANIO

Bon, nous verrons comment vous vous tiendrez.

GRATIANO

Ah ! mais j'exclus ce soir, n'allez pas me juger
Aux actes de ce soir.

BASSANIO

No, that were pity,
I would entreat you rather to put on
Your boldest suit of mirth, for we have friends
That purpose merriment... But fare you well,
I have some business.

GRATIANO

And I must to Lorenzo, and the rest.
But we will visit you at supper-time.

[they go their way.

[II, 3.]

The door opens: JESSICA *and* LANCELOT *come forth.*

JESSICA

I am sorry thou wilt leave my father so—
Our house is hell, and thou, a merry devil,
Didst rob it of some taste of tediousness.
But fare thee well, there is a ducat for thee.
And, Lancelot, soon at supper shalt thou see
Lorenzo, who is thy new master's guest—
Give him this letter, do it secretly,
And so farewell: I would not have my father
See me in talk with thee.

LANCELOT

10 Adieu! tears exhibit my tongue. Most beautiful pagan, most sweet Jew! if a Christian do not play the knave and get thee, I am much deceived... But adieu, these foolish drops do something drown my manly spirit; adieu!

[he goes.

BASSANIO

Non, ce serait dommage :
Je vous prierais plutôt de revêtir
Vos plus folles gaietés, car nous aurons des hôtes
Qui comptent s'amuser... mais au revoir,
J'ai quelque affaire.

GRATIANO

Moi je dois retrouver Lorenzo et les autres,
Mais nous viendrons vous voir à l'heure du souper.

Ils vont leur chemin.

SCÈNE III

La porte s'ouvre ; JESSICA *et* LANCELOT *s'avancent.*

JESSICA

Je suis fâchée que tu quittes mon père ainsi...
Notre maison est l'enfer et toi, joyeux diable,
Tu lui ôtais un peu de son odeur d'ennui.
Mais Dieu te garde, voici un ducat pour toi.
Et, Lancelot, bientôt, à souper, tu vas voir
Lorenzo qui est l'hôte de ton nouveau maître...
Donne-lui cette lettre, en secret n'est-ce pas,
Et donc adieu. Je ne voudrais pas que mon père
Me prenne à te parler.

LANCELOT

Adieu, mes larmes exhibent [11] ma langue. Très belle païenne, Juive très douce, si un chrétien ne fait pas le fripon et ne t'obtient, je me trompe beaucoup... Mais adieu, ces sottes gouttes noient un peu mon courage viril ; adieu !

Il sort.

JESSICA

Farewell, good Lancelot...
Alack, what heinous sin is it in me
To be ashamed to be my father's child!
But though I am a daughter to his blood,
I am not to his manners... O Lorenzo,
If thou keep promise, I shall end this strife,
20 Become a Christian, and thy loving wife.

[she goes within.

[II, 4.]

Another street in Venice

GRATIANO, LORENZO, SALERIO *and* SOLANIO *in lively conversation.*

LORENZO

Nay, we will slink away in supper-time,
Disguise us at my lodging, and return
All in an hour.

GRATIANO

We have not made good preparation.

SALERIO

We have not spoke as yet of torch-bearers.

SOLANIO

'Tis vile, unless it may be quaintly ordered,
And better in my mind not undertook.

LORENZO

'Tis now but four o'clock—we have two hours

JESSICA

Dieu te garde, bon Lancelot...
Hélas, quel affreux péché c'est en moi
Qu'avoir honte d'être enfant de mon père !
Mais bien que je sois fille de son sang,
Je ne le suis point de ses mœurs... O Lorenzo,
Si tu tiens ton serment je finirai ces luttes,
Je deviendrai chrétienne et ton épouse aimante.

Elle sort.

SCÈNE IV

Autre rue dans Venise

GRATIANO, LORENZO, SALÉRIO *et* SOLANIO *en vive conversation.*

LORENZO

Mais oui, esquivons-nous à l'heure du souper.
Déguisons-nous chez moi et revenons,
Le tout en moins d'une heure.

GRATIANO

Nous n'avons rien encor préparé comme il faut.

SALÉRIO

Nous n'avons pas encor parlé des porte-torche.

SOLANIO

Si ce n'est pas arrangé avec soin, c'est bien piètre
Et m'est avis qu'il vaudrait mieux y renoncer.

LORENZO

Il n'est maintenant que quatre heures — nous avons deux heures

To furnish us...

Lancelot comes up.

Friend Lancelot, what's the news?

LANCELOT [*takes a letter from his wallet*]

10 An it shall please you to break up this, it shall seem to signify.

LORENZO

I know the hand. In faith 'tis a fair hand,
And whiter than the paper it writ on,
Is the fair hand that writ.

GRATIANO

Love-news, in faith.

LANCELOT

By your leave, sir.

LORENZO

Whither goest thou?

LANCELOT

Marry, sir, to bid my old master the Jew to sup to-night with my new master the Christian.

LORENZO

Hold here, take this. [*he gives him money.*
Tell gentle Jessica
20 I will not fail her—speak it privately.

[*Lancelot goes.*

Go, gentlemen,
Will you prepare you for this masque to-night?
I am provided of a torch-bearer.

SALERIO

Ay, marry, I'll be gone about it straight.

Pour nous apprêter...

Entre Lancelot.

Ami Lancelot, quelles nouvelles ?

LANCELOT *prenant une lettre dans son sac*

S'il vous plaît rompre ce cachet, elles vous seront apparemment signifiées.

LORENZO

Je reconnais la main. Par ma foi, belle main ;
Plus blanche que le blanc billet qu'elle a écrit,
La main qui l'a écrit.

GRATIANO

Billet doux, par ma foi.

LANCELOT

Avec votre permission, monsieur.

LORENZO

Où vas-tu ?

LANCELOT

Pardi, monsieur, prier mon ancien maître le Juif à souper ce soir chez mon nouveau maître le chrétien.

LORENZO

Attends, prends ça (*il lui donne de l'argent*).
Dis à la douce Jessica
Que je ne lui manquerai pas — parle en secret.

Lancelot sort.

Allons, messieurs, n'allez-vous pas
Vous préparer pour ce soir, pour la mascarade ?
Je suis pourvu d'un porte-torche.

SALÉRIO

Mais oui, pardi, j'y vais d'un trait.

SOLANIO

And so will I.

LORENZO

Meet me and Gratiano
At Gratiano's lodging some hour hence.

SALERIO

'Tis good we do so.

[Salerio and Solanio leave them.

GRATIANO

Was not that letter from fair Jessica?

LORENZO

I must needs tell thee all. She hath directed
30 How I shall take her from fer father's house,
What gold and jewels she is furnished with,
What page's suit she hath in readiness.
If e'er the Jew her father come to heaven
It will be for his gentle daughter's sake,
And never dare misfortune cross her foot
Unless she do it under this excuse—
That she is issue to a faithless Jew...
Come, go with me. Peruse this, as thou goest.
Fair Jessica shall be my torch-bearer.

[they walk on.

SOLANIO

Et moi aussi.

LORENZO

Retrouvez Gratiano et moi
Chez Gratiano d'ici une heure.

SALÉRIO

C'est bon, nous y serons.

Salério et Solanio les quittent.

GRATIANO

N'était-ce point un mot de Jessica la belle ?

LORENZO

Il me faut tout te dire. Elle m'y indiquait
Comment la ravir de la maison de son père,
De quels bijoux et de quel or elle est munie,
Quel habit de page elle tient tout préparé.
Si jamais le Juif son père entre au paradis,
Ce sera bien grâce à sa délicieuse fille,
Et elle, aucun malheur n'arrêtera ses pas
A moins d'oser invoquer le prétexte
Qu'elle est issue d'un mécréant de Juif...
Allons, viens avec moi. Lis ceci en marchant.
La belle Jessica sera mon porte-torche.

Ils sortent.

[II, 5.]

The street before Shylock's house

SHYLOCK *and* LANCELOT *come forth.*

SHYLOCK

Well, thou shalt see, thy eyes shall be thy judge,
The difference of old Shylock and Bassanio...
What, Jessica!—Thou shalt not gormandise,
As thou hast done with me... What, Jessica!—
And sleep and snore, and rend apparel out...
Why, Jessica, I say!

LANCELOT [*bawls*]

Why, Jessica!

SHYLOCK

Who bids thee call? I do not bid thee call.

LANCELOT

Your worship was wont to tell me I could do nothing without bidding.

Jessica appears at the door.

JESSICA

10 Call you? What is your will?

SHYLOCK

I am bid forth to supper, Jessica.
There are my keys... But wherefore should I go?
I am not bid for love—they flatter me.
But yet I'll go in hate, to feed upon
The prodigal Christian... Jessica, my girl,
Look to my house. I am right loath to go—
There is some ill a-brewing towards my rest,
For I did dream of money-bags to-night.

SCÈNE V

La rue devant la maison de Shylock

Entrent SHYLOCK *et* LANCELOT

SHYLOCK

Bon, tu verras (tes yeux seront ton juge)
La différence entre Shylock et Bassanio...
Ho, Jessica ! — Tu ne pourras plus t'empiffrer
Comme tu le faisais chez moi... Ho, Jessica ! —
Ni dormir, ni ronfler, ni trouer ta livrée...
Eh bien, Jessica, voyons !

LANCELOT, *braillant*

Eh bien, Jessica !

SHYLOCK

Qui t'a dit d'appeler ? Je ne t'ai pas dit d'appeler.

LANCELOT

Votre Honneur avait l'habitude de me dire que je ne pouvais rien faire sans qu'on me l'ordonne.

Jessica paraît à la porte.

JESSICA

M'appelez-vous ? Quel est votre désir ?

SHYLOCK

Je suis prié à souper, Jessica.
Voilà mes clés... Mais pourquoi donc irais-je ?
Ce n'est pas l'amitié qui me prie : on me flatte.
J'irai pourtant par haine et mangerai aux frais
Du prodigue chrétien. Jessica, ma petite,
Veille sur ma maison. Je sors de mauvais gré...
On a tramé quelque complot contre ma paix,
Car j'ai rêvé de sacs d'argent la nuit derrière.

LANCELOT

I beseech you, sir, go. My young master doth expect
20 your reproach.

SHYLOCK

So do I his.

LANCELOT

And they have conspired together—I will not say you shall see a masque, but if you do, then it was not for nothing that my nose fell a-bleeding on Black-Monday last, at six o'clock i'th' morning, falling out that year on Ash-Wednesday was four year, in th'afternoon.

SHYLOCK

What, are there masques? Hear you me, Jessica—
Lock up my doors, and when you hear the drum
And the vile squealing of the wry-necked fife,
30 Clamber not you up to the casements then,
Nor thrust your head into the public street
To gaze on Christian fools with varnished faces:
But stop my house's ears, I mean my casements,
Let not the sound of shallow fopp'ry enter
My sober house... By Jacob's staff I swear
I have no mind of feasting forth to-night:
But I will go... Go you before me, sirrah—
Say I will come.

LANCELOT

I will go before, sir...

[as he departs he passes by the door and whispers.

Mistress, look out at window, for all this—
40 There will come a Christian by,
Will be worth a Jewess' eye.

[he goes.

LANCELOT

Je vous supplie, monsieur, allez-y. Mon jeune maître attend votre reproche [12].

SHYLOCK

Et moi le sien.

LANCELOT

Et ils ont conspiré ensemble. Je ne dirai pas que vous verrez une mascarade, mais si ça vous advient, alors ce n'était pas pour rien que mon nez saigna le dernier lundi de Pâques à six heures du matin, tombant cette année le mercredi des Cendres d'il y a quatre ans l'après-midi.

SHYLOCK

Quoi, une mascarade ? Écoutez, Jessica.
Fermez mon huis, quand vous entendrez le tambour
Et l'ignoble fausset du fifre au cou tordu,
Ne m'allez pas grimper à la fenêtre
Ni me pencher votre front sur la voie publique
Pour contempler ces sots chrétiens à face peinte :
Bouchez les ouïes de ma maison (oui, les : fenêtres)
Que le bruit de la vaine extravagance n'entre
En ma grave maison... Par le jonc de Jacob,
Je n'ai guère la tête à festoyer ce soir :
Mais j'irai... Va-t'en devant moi, coquin —
Dis que je viens.

LANCELOT

J'irai devant, monsieur...

En passant la porte il murmure.

Regardez malgré tout par la croisée, maîtresse,
Le chrétien qui va venir
Vaudra bien un œil de Juive.

Il sort.

SHYLOCK

What says that fool of Hagar's offspring, ha?

JESSICA

His words were, 'Farewell, mistress'—nothing else.

SHYLOCK

The patch is kind enough, but a huge feeder,
Snail-slow in profit, and he sleeps by day
More than the wild-cat: drones hive not with me.
Therefore I part with him, and part with him
To one that I would have him help to waste
His borrowed purse... Well, Jessica, go in.
50 Perhaps I will return immediately.
Do as I bid you, shut doors after you.
Fast bind, fast find,
A proverb never stale in thrifty mind.

[he goes.

JESSICA

Farewell—and if my fortune be not crost,
I have a father, you a daughter, lost.

[she goes within.

[II, 6.]

GRATIANO *and* SALERIO *come up, in masquing attire.*

GRATIANO

This is the pent-house, under which Lorenzo
Desired us to make stand.

SALERIO

His hour is almost past.

SHYLOCK

Que dit ce dadais de la souche d'Agar [13], hein ?

JESSICA

Ses mots étaient « Adieu, maîtresse » et rien de plus.

SHYLOCK

C'est un assez brave niais mais un énorme mangeur,
Un escargot pour la besogne et dormant tout le jour
Plus qu'un chat des bois : point de frelons dans ma
[ruche.
C'est pourquoi je m'en sépare, et je m'en sépare
En faveur d'un que j'aime aider à gaspiller
Sa fortune d'emprunt... Bon, Jessica, rentrez.
Peut-être reviendrai-je tout de suite.
Faites comme j'ai dit, fermez sur vous les portes.
« Qui clôt son bien, s'en trouve bien »
Est dicton toujours neuf pour un homme de soin.

Il sort.

JESSICA

Adieu — si le destin ne m'est contraire,
Vous perdez une fille et moi un père.

Elle rentre dans la maison.

SCÈNE VI

GRATIANO *et* SALÉRIO *entrent masqués*

GRATIANO

Voici cet appentis sous lequel Lorenzo
Veut que nous l'attendions.

SALÉRIO

L'heure est presque passée.

GRATIANO

And it is marvel he out-dwells his hour,
For lovers ever run before the clock.

SALERIO

O, ten times faster Venus' pigeons fly
To seal love's bonds new-made, than they are wont
To keep obligéd faith unforfeited!

GRATIANO

That ever holds: who riseth from a feast
With that keen appetite that he sits down?
10 Where is the horse that doth untread again
His tedious measures with the unbated fire
That he did pace them first? All things that are,
Are with more spirit chaséd than enjoyed.
How like a younger or a prodigal
The scarféd bark puts from her native bay,
Hugged and embracéd by the strumpet wind!
How like the prodigal doth she return,
With over-weathered ribs and ragged sails,
Lean, rent and beggared by the strumpet wind!

Lorenzo approaches in haste.

SALERIO

20 Here comes Lorenzo—more of this hereafter.

LORENZO

Sweet friends, your patience for my long abode.
Not I, but my affairs, have made you wait:
When you shall please to play the thieves for wives
I'll watch as long as you then... Approach.
Here dwells my father Jew... Ho! who's within?

A casement window opens above the door and Jessica leans out, clad as a boy.

JESSICA

Who are you? Tell me, for more certainty,
Albeit I'll swear that I do know your tongue.

GRATIANO

Et c'est miracle qu'il outrepasse son heure,
Car toujours les amants devancent la pendule.

SALÉRIO

Les pigeons de Vénus volent dix fois plus vite
Pour nouer un neuf amour que, d'ordinaire,
Pour tenir leur serment.

GRATIANO

C'est toujours ainsi : Qui se lève du festin
Avec la faim aiguë qu'il eut en s'asseyant ?
Où est le cheval qui fait au retour
Sa route ennuyeuse avec la fougue indomptée
Qu'il avait au départ ? Ah ! c'est pour tout
Qu'on a plus d'ardeur à la chasse qu'à la prise.
Voyez comme un enfant prodigue
La barque pavoisée quitte la baie natale,
Enlacée, embrassée par le vent séducteur !
Voyez comment la prodigue revient,
Les flancs détériorés, les voiles en lambeaux,
Maigre, rompue, ruinée par le vent séducteur !

Lorenzo approche rapidement.

SALÉRIO

Voici Lorenzo — Nous reprendrons ça plus tard.

LORENZO

Doux amis, votre pardon pour ce long retard.
Mes affaires, non pas moi, vous ont fait attendre :
Quand il vous plaira d'être des voleurs de femmes
Je vous attendrai aussi longtemps... Approchez :
Mon Juif de père habite ici... Quelqu'un céans ?

Une fenêtre s'ouvre au-dessus de la porte, y paraît Jessica en garçon.

JESSICA

Qui êtes-vous ? Dites-le-moi pour m'assurer,
Bien que je jurerais que je sais votre voix.

LORENZO

Lorenzo, and thy love.

JESSICA

Lorenzo, certain, and my love indeed,
30 For who love I so much? And now who knows
But you, Lorenzo, whether I am yours?

LORENZO

Heaven and thy thoughts are witness that thou art.

JESSICA

Here, catch this casket, it is worth the pains...

[she casts it down.

I am glad 'tis night, you do not look on me,
For I am much ashamed of my exchange:
But love is blind, and lovers cannot see
The pretty follies that themselves commit,
For if they could, Cupid himself would blush
To see me thus transforméd to a boy.

LORENZO

40 Descend, for you must be my torch-bearer.

JESSICA

What, must I hold a candle to my shames?
They in themselves, good sooth, are too too light.
Why, 'tis an office of discovery, love,
And I should be obscured.

LORENZO

So are you, sweet,
Even in the lovely garnish of a boy.
But come at once,
For the close night doth play the runaway,
And we are stayed for at Bassanio's feast.

LORENZO

Lorenzo, ton amour.

JESSICA

Lorenzo, oui et mon amour, vraiment,
Car qui aimer autant ? Et maintenant, qui sait
Que vous, Lorenzo, si je suis le vôtre ?

LORENZO

Le ciel et tes pensées sont témoins que tu l'es.

JESSICA

Tenez, attrapez ce coffret, il vaut la peine.

Elle le jette.

Quel bonheur qu'il soit nuit, vous ne me voyez pas,
Car j'ai honte de mon déguisement ;
Mais l'amour est aveugle, aux amants sont cachées
Les charmantes folies qu'ils commettent eux-mêmes,
Car autrement Cupidon même rougirait
De me voir ainsi changée en garçon.

LORENZO

Descendez, car il faut que vous portiez ma torche.

JESSICA

Quoi, me faut-il brandir un flambeau sur ma honte ?
Elle est, en soi, vraiment trop, trop visible.
Quoi, mon amour, c'est un rôle de découvreuse
Quand je devrais rester cachée.

LORENZO

Vous l'êtes, chère,
Par ce délicieux costume de page.
Mais descendez tout de suite,
Car la nuit close sait se faire fugitive
Et l'on nous attend au festin de Bassanio.

JESSICA

I will make fast the doors, and gild myself
50 With some mo ducats, and be with you straight.

[she closes the casement.

GRATIANO

Now, by my hood, a gentle and no Jew.

LORENZO

Beshrew me but I love her heartily,
For she is wise, if I can judge of her,
And fair she is, if that mine eyes be true,
And true she is, as she hath proved herself:
And therefore, like herself, wise, fair, and true,
Shall she be placéd in my constant soul...

Jessica comes from the house.

What, art thou come? On, gentlemen, away—
Our masquing mates by this time for us stay.

[he departs with Jessica and Salerio.
Antonio comes along the street.

ANTONIO

60 Who's there?

GRATIANO

Signior Antonio?

ANTONIO

Fie, fie, Gratiano! where are all the rest?
'Tis nine o'clock—our friends all stay for you.
No masque to-night, the wind is come about,
Bassianio presently will go aboard.
I have sent twenty out to seek for you.

GRATIANO

I am glad on't. I desire no more delight
Than to be under sail and gone to-night.

[they go.

JESSICA

Je vais fermer la porte et me dorer moi-même
D'encor quelques ducats, puis je suis avec vous.

Elle ferme la fenêtre.

GRATIANO

Eh ! par mon capuchon, plus gentille que Juive.

LORENZO

Malheur sur moi si je ne l'aime de tout cœur,
Car elle est sage, autant que je puis juger d'elle,
Et belle aussi, si mes yeux sont fidèles,
Et fidèle ainsi qu'elle en a donné la preuve,
Et puisqu'elle est sage et belle et fidèle
Elle aura place en mon âme constante...

Jessica sort de la maison.

Ah ! te voilà venue ? Allons, messieurs, partons,
Nos compagnons de masque nous attendent.

Il sort avec Jessica et Salério.
Antonio arrive par la rue.

ANTONIO

Qui est là ?

GRATIANO

Signor Antonio ?

ANTONIO

Fi donc, Gratiano ! Où sont tous les autres ?
Il est neuf heures, tous nos amis vous attendent.
Pas de masque ce soir, le vent s'est élevé,
Bassanio d'ici peu va s'embarquer.
J'ai envoyé vingt hommes vous chercher.

GRATIANO

J'en suis joyeux, n'aspirant qu'au plaisir
D'être sous la voilure et parti dès ce soir.

Ils sortent.

[II, 7.]

The hall of Portia's house at Belmont

PORTIA *enters, with the Prince of* MOROCCO, *and their trains.*

PORTIA

Go, draw aside the curtains, and discover
The several caskets to this noble prince...

Servants draw back the curtains and reveal a table and three caskets thereon.

Now make you choice.

[Morocco examines the caskets.

MOROCCO

The first, of gold, who this inscription bears,
'Who chooseth me shall gain what many men desire'...
The second, silver, which this promise carries,
'Who chooseth me shall get as much as he deserves'...
This third, dull lead, with warning all as blunt,
'Who chooseth me must give and hazard all he hath'...
10 How shall I know if I do choose the right?

PORTIA

The one of them contains my picture, prince.
If you choose that, then I am yours withal.

MOROCCO

Some god direct my judgement! Leet me see,
I will survey th'inscriptions back again.
What says this leaden casket?
'Who chooseth me must give and hazard all he hath.'
Must give—for what? for lead? hazard for lead?
This casket threatens. Men that hazard all
Do it in hope of fair advantages:

SCÈNE VII

La salle de la maison de Portia à Belmont

Entre PORTIA *avec le Prince du Maroc et leurs suites.*

PORTIA

Allez, tirez les rideaux, découvrez
Les divers coffrets à ce noble prince.

Les serviteurs tirent les rideaux et révèlent une table avec trois coffrets dessus.

Maintenant faites votre choix.

Maroc examine les coffrets.

MAROC

Le premier est en or portant cette inscription
« Qui me choisit aura ce que beaucoup désirent »...
Le deuxième, en argent, chargé d'une promesse
« Qui me choisit obtiendra selon son mérite »...
Le troisième, en plomb terne, avec un avis aussi [sombre
« Qui me prend doit donner, hasarder tout son [bien »...
Comment savoir si je choisis le bon ?

PORTIA

L'un d'eux contient mon portrait, prince.
Si vous le choisissez je suis à vous avec.

MAROC

Qu'un Dieu guide mon choix ! Voyons,
Je veux relire encore chaque devise.
Que dit donc ce coffret de plomb ?
« Qui me prend doit donner, hasarder tout son bien. »
Donner — pourquoi ? du plomb ? hasarder pour du [plomb ?
Menaçant, ce coffret ! Ceux qui hasardent tout
Le font dans l'espoir de beaux avantages ;

20 A golden mind stoops not to shows of dross.
I'll then nor give nor hazard aught for lead...
What says the silver with her virgin hue?
'Who chooseth me shall get as much as he deserves.'
As much as he deserves! Pause there, Morocco,
And weigh thy value with an even hand.
If thou be'st rated by thy estimation,
Thou dost deserve enough—and yet enough
May not extend so far as to the lady:
And yet to be afeard of my deserving
30 Were but a weak disabling of myself...
As much as I deserve! Why, that's the lady.
I do in birth deserve her, and in fortunes,
In graces, and in qualities of breeding:
But more than these, in love I do deserve.
What if I strayed no further, but chose here?
Let's see once more this saying graved in gold:
'Who chooseth me shall gain what many men desire'...
Why, that's the lady—all the world desires her.
From the four corners of the earth they come,
40 To kiss this shrine, this mortal-breathing saint.
The Hyrcanian deserts and the vasty wilds
Of wide Arabia are as throughfares now
For princes to come view fair Portia.
The watery kingdom, whose ambitious head
Spets in the face of heaven, is no bar
To stop the foreign spirits, but they come,
As o'er a brook, to see fair Portia...
One of these three contains her heavenly picture.
Is't like that lead contains her? 'Twere damnation
50 To think so base a thought—it were too gross
To rib her cerecloth in the obscure grave.
Or shall I think in silver she's immured,
Being ten times undervalued to tried gold?
O sinful thought! Never so rich a gem
Was set in worse than gold... They have in England
A coin that bears the figure of an angel
Stampéd in gold, but that's insculped upon;
But here an angel in a golden bed
Lies all within... Deliver me the key:
60 Here do I choose, and thrive I as I may!

Une âme d'or ne se rend point à vil rebut.
Non, ne donner ni hasarder rien pour du plomb.
Que dit l'argent avec son teint de vierge ?
« Qui me choisit obtiendra selon son mérite. »
Selon son mérite ! Arrête un peu là, Maroc,
Et pèse ta valeur d'une impartiale main.
Si tu es apprécié sur ta réputation,
Ton mérite suffit — quoique, peut-être,
Il ne s'étende pas jusqu'à la dame :
Et cependant douter de mon mérite
Serait lâche déroute de ma part...
Selon que je mérite ! Eh bien, c'est cette dame.
Je la mérite et par naissance et par fortune
Et par le charme et par les qualités d'éducation ;
Mais plus que tout je la mérite par l'amour.
Si, sans aller plus loin, je choisissais ici ?
Voyons encore un coup ce dict gravé dans l'or :
« Qui me choisit aura ce que beaucoup désirent. »
Hé, c'est la dame — tout l'univers la désire.
Des quatre coins de la terre on s'en vient
Baiser la châsse, la sainte mortelle respirante.
Les déserts d'Hyrcanie, les vastes solitudes
De l'immense Arabie sont maintenant des routes
Pour que tout prince accède à voir Portia la belle.
Le royaume des eaux dont la tête orgueilleuse
Crache à la face du ciel, n'est pas un obstacle
Pour arrêter les esprits étrangers, ils viennent,
Comme on passe un ruisseau pour voir Portia la belle...
L'un des trois coffrets contient son portrait céleste.
Ce plomb la contiendrait ? Penser si vil penser
Serait ma damnation — non, le plomb est indigne
De doubler son linceul au ténébreux tombeau.
Ou dois-je penser qu'elle est emmurée d'argent
Qui vaut dix fois moins que l'or éprouvé ?
O coupable pensée ! jamais gemme si riche
Ne fut sertie qu'en l'or... Ils ont en Angleterre
Une monnaie portant le visage d'un ange
Frappé dans l'or, mais gravé en surface ;
Alors qu'ici, l'ange en son lit doré,
C'est à l'intérieur qu'il gît... Donnez-moi la clé
Mon choix se fixe ici, m'advienne que pourra !

PORTIA

There, take it, prince, and if my form lie there,
Then I am yours.

[he unlocks the golden casket.

MOROCCO

O hell! what have we here?
A carrion Death, within whose empty eye
There is a written scroll! I'll read the writing.
'All that glisters is not gold,
Often have you heard that told.
Many a man his life hath sold,
But my outside to behold.
Gilded tombs do worms infold...
70 Had you been as wise as bold,
Young in limbs, in judgement old,
Your answer had not been inscrolled—
Fare you well, your suit is cold.'
Cold, indeed, and labour lost.
Then, farewell heat, and welcome frost...
Portia, adieu! I have too grived a heart
To take a tedious leave: thus losers part.

[he departs with his retinue.

PORTIA

A gentle riddance. Draw the curtains, go.
Let all of his complexion choose me so.

[they go out.

PORTIA

Tenez, prince, prenez : si mon image est là,
Alors je suis à vous.

Il ouvre le coffret doré.

MAROC

Enfer ! Que vois-je ici ?
Une mort charogneuse avec, en son œil cave,
Un rouleau manuscrit. Je le lirai.
« Tout ce qui brille n'est pas or,
Entend-on souvent dire encore.
Plus d'un homme a gagné sa mort,
Rien qu'à contempler mon dehors.
Beau sépulcre à vers pour trésor...
Fussiez-vous sage autant que fort,
Rassis d'esprit, jeune de corps,
N'eussiez ma réponse pour sort.
Adieu, c'est mon froid réconfort. »
Froid vraiment et peine perdue.
Ardeur, adieu [14] ; gel, sois le bienvenu.
Adieu, Portia ! j'ai le cœur trop meurtri
Pour d'ennuyeux congés : tout perdant part ainsi.

Il part avec son cortège.

PORTIA

Bon débarras. Refermez les rideaux, allons
Que quiconque a son teint choisisse à sa façon.

Ils sortent.

[II, 8.]

A street in Venice

SALERIO *and* SOLANIO

SALERIO

Why man, I saw Bassanio under sail,
With him is Gratiano gone along;
And in their ship I am sure Lorenzo is not.

SOLANIO

The villain Jew with outcries raised the duke,
Who went with him to search Bassanio's ship.

SALERIO

He came too late, the ship was under sail,
But there the duke was given to understand
That in a gondola were seen together
Lorenzo and his amorous Jessica.
10 Besides, Antonio certified the duke
They were not with Bassanio in his ship.

SOLANIO

I never heard a passion so confused,
So strange, outrageous, and so variable,
As the dog Jew did utter in the streets.
'My daughter! O my ducats! O my daughter!
Fled with a Christian! O my Christian ducats!
Justice! the law! my ducats, and my daughter!
A sealéd bag, two sealéd bags of ducats,
Of double ducats, stol'n from me by my daughter!
20 And jewels—two stones, two rich and precious stones,
Stol'n by my daughter! Justice! find the girl!
She hath the stones upon her, and the ducats!'

SALERIO

Why, all the boys in Venice follow him,
Crying, his stones, his daughter, and his ducats.

SCÈNE VIII

Une rue à Venise

SALÉRIO *et* SOLANIO

SALÉRIO

Oui, mon cher, j'ai vu Bassanio mettre à la voile,
Et avec lui est parti Gratiano ;
Mais je suis sûr que Lorenzo n'est pas à bord.

SOLANIO

L'odieux Juif réveilla de ses clameurs le duc
Qui s'en vint avec lui pour fouiller le navire.

SALÉRIO

Il vint trop tard, le navire était à la voile,
Mais, là, on donna à comprendre au duc
Que dans une gondole on avait vu ensemble
Lorenzo et son amoureuse Jessica.
De plus Antonio certifia au duc
Qu'ils n'étaient point avec Bassanio, dans sa nef.

SOLANIO

Jamais je n'entendis fureur si embrouillée
Ni si étrange, exacerbée, incohérente
Que celle exhalée par ce chien juif dans les rues.
« Ma fille ! ô mes ducats ! ô ma fille !
Enfuie avec un chrétien ! Mes ducats chrétiens !
Justice ! loi ! mes ducats, et ma fille !
Un sac scellé, deux sacs scellés pleins de ducats,
De doubles ducats, volés à moi par ma fille !
Et des pierres — deux joyaux, deux joyaux de prix
Volés par elle ! Justice ! trouvez la garce !
Elle a les joyaux sur elle, aussi les ducats ! »

SALÉRIO

De fait, tous les gamins le suivent dans Venise
En criant ses joyaux, sa fille et ses ducats.

SOLANIO

Let good Antonio look he keep his day,
Or he shall pay for this.

SALERIO

Marry, well remembred:
I reasoned with a Frenchman yesterday,
Who told me, in the narrow seas that part
The French and English, there miscarriéd
30 A vessel of our country richly fraught:
I thought upon Antonio when he told me,
And wished in silence that it were not his.

SOLANIO

You were best to tell Antonio what you hear—
Yet do not suddenly, for it may grieve him.

SALERIO

A kinder gentleman treads not the earth.
I saw Bassanio and Antonio part.
Bassanio told him he would make some speed
Of his return: he answered, 'Do not so.
Slubber not business for my sake, Bassanio,
40 But stay the very riping of the time.
And for the Jew's bond which he hath of me,
Let it not enter in your mind of love:
Be merry, and employ your chiefest thoughts
To courtship, and such fair ostents of love
As shall conveniently become you there.'
And even there, his eye being big with tears,
Turning his face, he put his hand behind him,
And with affection wondrous sensible
He wrung Bassanio's hand, and so they parted.

SOLANIO

50 I think he only loves the world for him.
I pray thee, let us go and find him out,
And quicken his embracéd heaviness
With some delight or other.

SOLANIO

Qu'Antonio veille à ne pas manquer l'échéance,
Ou c'est lui qui paiera.

SALÉRIO

Pardieu, j'y pense :
Je causais avec un Français hier
Qui me dit qu'en ces étroites mers qui séparent
Les Français des Anglais, avait sombré
Un navire de chez nous richement chargé.
Je pensais à Antonio tandis qu'il parlait,
Souhaitant à part moi que ce ne fût pas le sien.

SOLANIO

Vous devriez bien en avertir Antonio...
Mais pas brutalement, de peur de l'affecter.

SALÉRIO

Pas de meilleur gentilhomme sur cette terre.
J'ai vu Bassanio et Antonio se quitter.
Bassanio lui disait qu'il se voulait hâter
De revenir : lui de répondre : « Eh ! non,
Ne gâchez pas pour moi, Bassanio, votre affaire,
Mais attendez que le temps la mûrisse.
Et quant à ce billet que le Juif a de moi,
Qu'il n'entre pas dans votre âme amoureuse :
Soyez gai, ne songez qu'à faire votre cour
Et qu'à montrer tels beaux dehors galants
Qui vous paraîtront convenir là-bas. »
Et à ce moment, ses yeux étant gros de larmes,
Il se détourna, tendit sa main en arrière
Et avec une affection sensible à merveille
Serra la main de l'ami, puis ils se quittèrent.

SOLANIO

C'est pour Bassanio seul, je crois, qu'il tient au [monde.
Je t'en prie, viens-t'en le trouver
Et secouons la nostalgie qui l'étreint,
Par un plaisir ou l'autre.

SALERIO

Do we so.

[they pass on.

[II, 9.]

The hall of Portia's house at Belmont

A servitor on guard before the curtains; NERISSA *enters in haste.*

NERISSA

Quick, quick, I pray thee—draw the curtain straight.
The Prince of Arragon hath ta'en his oath,
And comes to his election presently.

[the curtains are drawn aside.
Portia enters with the Prince of Arragon, and their trains.

PORTIA

Behold, there stand the caskets, noble prince.
If you choose that wherein I am contained,
Straight shall our nuptial rites be solemnized:
But if you fail, without more speech, my lord,
You must be gone from hence immediately.

ARRAGON

I am enjoined by oath to observe three things—
10 First, never to unfold to any one
Which casket 'twas I chose; next, if I fail
Of the right casket, never in my life
To woo a maid in way of marriage;
Lastly,
If I do fail in fortune of my choice,
Immediately to leave you and be gone.

SALÉRIO

Oui, oui, allons.

Ils sortent.

SCÈNE IX

La salle de la maison de Portia à Belmont

Un domestique de garde devant les rideaux. NÉRISSA *entre en hâte.*

NÉRISSA

Vite, ouvre les rideaux sur-le-champ, je te prie.
Le prince d'Aragon vient de prêter serment
Et s'avance à présent pour choisir.

Les rideaux sont tirés.
Portia entre avec le prince d'Aragon et leurs suites.

PORTIA

Voyez, c'est là que sont les coffrets, noble prince.
Si vous faites choix de celui qui me contient,
Nos rites nuptiaux seront célébrés tout de suite ;
Mais si vous échouez, monseigneur, sans plus [d'ambages
Vous devez quitter ce lieu sur-le-champ.

ARAGON

Je suis tenu par serment à trois choses :
Tout d'abord ne révéler à personne
Quel coffret j'ai choisi ; ensuite, si je manque
Le bon coffret, ne jamais de ma vie
Courtiser une vierge en vue de l'épouser ;
Enfin [15],
Si j'échoue dans le hasard de mon choix,
Au même instant vous quitter et partir.

PORTIA

To these injunctions every one doth swear,
That comes to hazard for my worthless self.

ARRAGON

And so have I addressed me. Fortune now
20 To my heart's hope!

[he turns to look upon the caskets.

Gold, silver, and base lead...
'Who chooseth me must give and hazard all he hath'
You shall look fairer, ere I give or hazard...
What says the golden, chest? ha! let me see—
'Who chooseth me shall gain what many men desire.'
What many men desire! that 'many' may be meant
By the fool multitude, that choose by show,
Not learning more than the fond eye doth teach,
Which pries not to th 'interior, but like the martlet
Builds in the weather on the outward wall,
30 Even in the force and road of casualty.
I will not choose what many men desire,
Because I will not jump with common spirits,
And rank me with the barbarous multitudes...
Why, then to thee, thou silver treasure-house!
Tell me once more what title thou dost bear:
'Who chooseth me shall get as much as he deserves.'
And well said too; for who shall go about
To cozen fortune and be honourable
Without the stamp of merit. Let none presume
40 To wear an undeservéd dignity...
O, that estates, degrees and offices,
Were not derived corruptly, and that clear honour
Were purchased by the merit of the wearer—
How many then should cover that stand bare!
How many be commanded that command!
How much low peasantry would then be gleaned
From the true seed of honour! and how much honour
Picked from the chaff and ruin of the times,
To be new varnished... Well, but to my choice...
50 'Who chooseth me shall get as much as he deserves.'

PORTIA

Ce sont les conditions que doit jurer quiconque
Tente sa chance pour mon indigne personne.

ARAGON

Et je m'y suis préparé. Fortune à présent
Sers l'espoir de mon cœur !

Il se retourne et examine les coffrets.

Or, argent et vil plomb...
« Qui me prend doit donner, hasarder tout son bien »
Embellis-toi avant que je donne ou hasarde...
Que dit le coffret d'or ? Ha ! voyons donc —
« Qui me choisit aura ce que beaucoup désirent. »
Ce que beaucoup ! ce « beaucoup » peut-être désigne
La foule insensée qui choisit sur l'apparence,
Ne comprenant que ce qu'enseigne un œil futile
Qui ne pénètre rien, mais comme un martinet
Niche à tout vent sur le mur extérieur,
A la merci et sur le chemin du danger.
Je ne choisirai pas ce que beaucoup désirent,
Ne tenant pas à mimer le vulgaire
Ni à me ranger parmi les foules barbares...
Eh bien, alors à toi, châsse d'argent !
Dis-moi encore un coup le titre que tu portes :
« Qui me choisit obtiendra selon son mérite. »
Voilà qui est bien dit ; qui, en effet, ira
Duper la chance et se faire honorer
Sans le sceau du mérite ? Ah ! que nul ne présume
Jusqu'à revêtir un honneur immérité...
Oh ! si les fonctions, les rangs et les charges
N'étaient obtenus par corruption et que l'honneur
[clair
Fût acquis au mérite du porteur,
Combien alors seraient couverts qui sont nu-tête !
Combien seraient commandés qui commandent !
Combien de vils manants alors seraient glanés
Parmi le vrai grain de l'honneur ! et que d'honneur
Ramassé dans la paille et le rebut du temps
Serait recoloré... Bon, mais mon choix...
« Qui me choisit obtiendra selon son mérite »

I will assume desert...

[he takes up the silver casket.

Give me a key for this—
And instantly unlock my fortunes here.

[he opens the casket, and starts back amazed.

PORTIA

Too long a pause for that which you find there.

ARRAGON

What's here? the portrait of a blinking idiot,
Presenting me a schedule! I will read it...
How much unlike art thou to Portia!
How much unlike my hopes and my deservings!
'Who chooseth me shall have as much as he deserves.'
Did I deserve no more than a fool's head?

PORTIA

60 To offend and judge are distinct offices,
And of opposéd natures.

ARRAGON [*unfolds the paper*]

What is here?
The fire seven times tried this—
Seven times tried that judgement is,
That did never choose amiss.
Some there be that shadows kiss,
Such have but a shadow's bliss:
There be fools alive, I wis,
Silvered o'er—and so was this...
70 Take what wife you will to bed,
I will ever be your head:
So be gone, you are sped.'

Still more fool I shall appear
By the time I linger here.
With one fool's head I came to woo,
But I go away with two...

Prétendons au mérite.

Il prend le coffret d'argent.

Oui, donnez-moi la clé
Et qu'à l'instant ma fortune apparaisse ici.

Il ouvre le coffret et recule interdit.

PORTIA

Trop longue pause pour ce que vous trouvez là.

ARAGON

Qu'est-ce là ? Le portrait d'un idiot clignotant
Qui me tend un rouleau ! je vais le lire...
Que tu es différent, toi, de Portia !
Que tu es différent de mes espoirs, de mes mérites !
« Qui me choisit obtiendra selon son mérite. »
N'ai-je mérité que cette face de niais ?
Est-ce là ma valeur ? N'ai-je mérité mieux ?

PORTIA

Le coupable et le juge ont deux rôles distincts,
Par nature opposés.

ARAGON, *déroulant le papier.*

Qu'y a-t-il là ?
« Feu sept fois éprouva ceci —
Sept fois ce verdict l'est aussi
Lequel jamais n'a mal choisi.
Etreindre l'ombre est bon pour qui
Ne veut que l'ombre du profit.
Il est des sots, je l'ai appris,
Couverts d'argent — tel celui-ci...
Mène au lit femme que tu souhaites,
Je resterai toujours ta tête :
Prends donc la poudre d'escampette. »

Je paraîtrai encor plus sot
Si en ce lieu je tarde trop.
Venu comme un niais courtiser,
C'est deux fois niais que je m'en vais...

Sweet, adieu! I'll keep my oath,
Patiently to bear my roth.

[he departs with his train.

PORTIA

Thus hath the candle singed the moth:
80 O, these deliberate fools! when they do choose,
They have the wisdom by their wit to lose.

NERISSA

The ancient saying is no heresy,
Hanging and wiving goes by destiny.

PORTIA

Come, draw the curtain, Nerissa.

[she does so.
A servant enters.

SERVANT

Where is my lady?

PORTIA

Here—what would my lord?

SERVANT

Madam, there is alighted at your gate
A young Venetian, one that comes before
To signify th'approaching of his lord,
From whom he bringeth sensible regreets...
90 To wit, besides commends and courteous breath,
Gifts of rich value... Yet I have not seen
So likely an ambassador of love.
A day in April never came so sweet,
To show how costly summer was at hand,
As this fore-spurrer comes before his lord.

Adieu ! je tiendrai mon serment
Pour porter mon mal patiemment.

Il part avec sa suite.

PORTIA

Ainsi la chandelle a brûlé le papillon :
Oh ! ces sots raisonneurs ! quand ils choisissent
Ils ont tant d'esprit que leurs raisons les trahissent.

NÉRISSA

Le vieux dicton n'est pas un racontar :
Mariage et pendaison sont au gré du hasard.

PORTIA

Allons, tirez le rideau, Nérissa.

Elle le tire.
Entre un serviteur.

LE SERVITEUR

Où est Madame ?

PORTIA

Ici — que veut Monsieur ?

LE SERVITEUR

Madame, est descendu à votre grille
Un jeune Vénitien venu d'avance
Pour annoncer l'arrivée de son maître
Dont il apporte un appréciable hommage...
A savoir, outre compliments et mots courtois,
Dons de riche valeur... Je n'ai pas encor vu
Un si aimable ambassadeur d'amour.
Jour d'Avril jamais ne vint si charmant
Prouver le somptueux été à portée de main
Que cet avant-coureur ne précède son maître.

PORTIA

No more, I pray thee. I am half afeard,
Thou wilt say anon he is some kin to thee,
Thou spend'st such high-day wit in praising him...
Come, come, Nerissa, for I long to see
100 Quick Cupid's post that comes so mannerly.

NERISSA

Bassanio—Lord Love, if thy will it be!

[they go.

PORTIA

C'est assez, je te prie. J'ai moitié peur
Que tu dises bientôt qu'il est de tes parents,
Tant à le louer tu déploies l'esprit des grands jours...
Viens, viens, Nérissa, car il me tarde de voir
L'agile courrier d'Amour qui vient si gentil.

NÉRISSA

Bassanio — Maître Amour, veuillez que ce soit lui !

Ils sortent.

ACTE III

[III, 1.]

The street before Shylock's house

SOLANIO *and* SALERIO *meeting.*

SOLANIO

Now, what news on the Rialto?

SALERIO

Why, yet it lives there unchecked that Antonio hath a ship of rich lading wracked on the narrow seas; the Goodwins, I think they call the place—a very dangerous flat and fatal, where the carcases of many a tall ship lie buried, as they say, if my gossip Report be an honest woman of her word.

SOLANIO

I would she were as lying a gossip in that, as ever knapped ginger, or made her neighbours believe she
10 wept for the death of a third husband... But it is true, without any slips of prolixity or crossing the plain highway of talk, that the good Antonio, the honest Antonio... O, that I had a title good enough to keep his name company—

SCÈNE PREMIÈRE

La rue devant la maison de Shylock

SOLANIO *et* SALÉRIO *se rencontrent.*

SOLANIO

Alors, quelles nouvelles au Rialto ?

SALÉRIO

Eh bien, on y raconte toujours sans être démenti qu'Antonio a un navire de riche cargaison naufragé aux détroits ; les Godwins — je crois qu'on nomme ainsi ces parages — sont un bas-fond dangereux et fatal, où les carcasses de maint gros navire gisent enterrées, dit-on, si ma commère la Rumeur est femme honnête en ses paroles.

SOLANIO

Je la voudrais, là, aussi menteuse commère qu'aucune qui jamais mâcha gingembre ou fit croire à ses voisins qu'elle pleurait la mort de son troisième mari... Mais il est vrai, sans glisser dans la prolixité ni encombrer la simple grand-route de la conversation que le bon Antonio, l'honnête Antonio... Oh ! si j'avais un adjectif assez digne d'accompagner son nom...

SALERIO

Come, the full stop.

SOLANIO

Ha! what sayest thou? Why, the end is, he hath lost a ship.

SALERIO

I would it might prove the end of his losses.

SOLANIO

Let me say 'amen' betimes, lest the devil cross my prayer, for here he comes in the likeness of a Jew...

Shylock comes from his house.

20 How now, Shylock! what news among the merchants?

SHYLOCK [*turns upon them*]

You knew, none so well, none so well as you, of my daughter's flight.

SALERIO

That's certain! I, for my part, knew the tailor that made the wings she flew withal.

SOLANIO

And Shylock, for his own part, knew the bird was fledge, and then it is the complexion of them all to leave the dam.

SHYLOCK

She is damned for it.

SALERIO

That's certain, if the devil may be her judge.

SALÉRIO

Allons, le point final.

SOLANIO

Hein ! qu'est-ce que tu dis ? Eh bien, la fin de l'histoire, c'est qu'il a perdu un navire.

SALÉRIO

Je voudrais que ce puisse être la fin de ses pertes.

SOLANIO

Que je dise vite « Amen » de peur que le diable intercepte ma prière, car le voici venir sous l'aspect d'un Juif...

Shylock vient de sa maison.

Eh bien, Shylock ! quelles nouvelles chez les marchands ?

SHYLOCK, *tombant sur eux.*

Vous saviez, personne aussi bien, personne aussi bien que vous, la fuite de ma fille.

SALÉRIO

C'est sûr ! moi, pour ma part, je connaissais le tailleur qui fit les ailes dont elle s'est envolée.

SOLANIO

Et Shylock, pour sa part, savait l'oiseau en état de voler, et alors, c'est leur nature à tous de quitter la maman.

SHYLOCK

Pour tomber dans la Géhenne !

SALÉRIO

C'est sûr si le diable peut être son juge.

SHYLOCK

My own flesh and blood to rebel!

SOLANIO

30 Out upon it, old carrion, rebels it at these years?

SHYLOCK

I say, my daughter is my flesh and blood.

SALERIO

There is more difference between thy flesh and hers than between jet and ivory, more between your bloods than there is between red wine and rhenish... But tell us, do you hear whether Antonio have had any loss at sea or no?

SHYLOCK

There I have another bad match—a bankrupt, a prodigal, who dare scarce show his head on the Rialto, a beggar that was used to come so smug upon the mart... let him look to his bond! he was wont to call
40 me usurer, let him look to his bond! he was wont to lend money for a Christian curtsy, let him look to his bond!

SALERIO

Why, I am sure, if he forfeit, thou wilt not take his flesh—what's that good for?

SHYLOCK

To bait fish withal! if it will feed nothing else, it will feed my revenge... He hath disgraced me and hindred me half a million, laughed at my losses, mocked at my gains, scorned my nation, thwarted my bargains, cooled my friends, heated mine enemies—and what's his reason? I am a Jew... Hath not a Jew eyes? hath not a Jew hands, organs, dimen-
50 sions, senses, affections, passions? fed with the same

SHYLOCK

Ma chair et mon sang s'ériger contre moi !

SOLANIO

Holà, vieille charogne, à ton âge ?

SHYLOCK

Je dis que ma fille est ma chair et mon sang.

SALÉRIO

Il y a plus de différence entre ta chair et la sienne qu'entre le jais et l'ivoire, plus entre vos sangs qu'entre le vin rouge et le vin du Rhin... Mais dites-nous, avez-vous appris si Antonio a eu quelque perte en mer ou non ?

SHYLOCK

J'ai encore fait là un mauvais marché — un failli, un prodigue qui oserait à peine montrer sa figure au Rialto, un mendiant qui avait coutume de venir si pimpant à la Bourse... qu'il pense à son billet ! il avait coutume de m'appeler usurier, qu'il pense à son billet ! il avait coutume de prêter l'argent pour une courbette de chrétien, qu'il pense à son billet !

SALÉRIO

Mais je suis sûr que, s'il fait défaut, tu ne prendras pas sa chair — à quoi bon ?

SHYLOCK

Pour appâter le poisson ! Si ça ne nourrit rien d'autre, ça nourrira ma vengeance... Il m'a couvert de honte et m'a frustré d'un demi-million, a ri de mes pertes, s'est moqué de mes gains, a méprisé ma race, contrarié mes affaires, refroidi mes amis, échauffé mes ennemis — et pourquoi ? Je suis juif... un Juif a-t-il pas des yeux ? un Juif a-t-il pas des mains, des organes, des proportions, des sens, des émotions, des passions ? est-il pas nourri

food, hurt with the same weapons, subject to the same diseases, healed by the same means, warmed and cooled by the same winter and summer, as a Christian is? If you prick us, do we not bleed? if you tickle us, do we not laugh? if you poison us, do we not die? and if you wrong us, shall we not revenge? if we are like you in the rest, we will resemble you in that... If a Jew wrong a Christian, what is his humility? Revenge. If a Christian wrong a Jew, what should his sufferance be by Christian example? Why,
60 revenge. The villainy you teach me I will execute, and it shall go hard but I will better the instruction.

A servant accosts Solanio and Salerio.

SERVANT

Gentlemen, my master Antonio is at his house, and desires to speak with you both.

SALERIO

We have been up and down to seek him.

Tubal appears making for Shylock's house.

SOLANIO

Here comes another of the tribe—a third cannot be matched, unless the devil himself turn Jew.

[Solanio and Salerio depart, followed by the servant.

SHYLOCK

How now, Tubal! what news from Genoa? hast thou found my daughter?

TUBAL

I often came where I did hear of her, but cannot find her.

de même nourriture, blessé des mêmes armes, sujet à mêmes maladies, guéri par mêmes moyens, réchauffé et refroidi par même été, même hiver, comme un chrétien ? Si vous nous piquez, saignons-nous pas ? Si vous nous chatouillez, rions-nous pas ? Si vous nous empoisonnez, mourons-nous pas ? Si vous nous faites tort, nous vengerons-nous pas ? Si nous vous ressemblons dans le reste, nous vous ressemblerons aussi en cela... Si un Juif fait tort à un chrétien, où est l'humanité de celui-ci ? Dans la vengeance. Si un chrétien fait tort à un Juif, où est la patience de ce dernier selon l'exemple chrétien ? Eh bien, dans la vengeance. La vilenie que vous m'enseignez je la pratiquerai et ce sera dur, mais je veux surpasser mes maîtres.

Un serviteur aborde Solanio et Salério.

LE SERVITEUR

Messieurs, mon maître Antonio est chez lui et désire vous parler à tous deux.

SALÉRIO

Nous l'avons cherché de tous côtés.

Apparaît Tubal se dirigeant vers la maison de Shylock.

SOLÉRIO

En voici un autre de la tribu — on n'en trouvera pas un troisième de cet acabit à moins que le diable lui-même se fasse juif.

Solanio et Salério s'en vont suivis du serviteur.

SHYLOCK

Alors, Tubal ! quelles nouvelles de Gênes ? As-tu trouvé ma fille ?

TUBAL

J'ai souvent été où j'avais entendu parler d'elle, mais n'ai pu la trouver.

SHYLOCK

70 Why there, there, there, there—a diamond gone, cost me two thousand ducats in Frankfort—the curse never fell upon our nation till now, I never felt it till now—two thousand ducats in that, and other precious, precious jewels... I would my daughter were dead ad my foot, and the jewels in her ear! would she were hearsed at my foot, and the ducats in her coffin! No news of them? Why, so—and I know not what's spent in the search: why, thou loss upon loss! the thief gone with so much and so much to find the thief, and
80 no satisfaction, no revenge, nor no ill luck stirring but what lights o' my shoulders, ni sighs but o' my breathing, no tears but o' my shedding.

[he weeps.

TUBAL

Yes, other men have ill luck too. Antonio, as I heard in Genoa—

SHYLOCK

What, what, what? ill luck, ill luck?

TUBAL

—hath an argosy cast away, coming from Tripolis.

SHYLOCK

I thank God, I thank God! Is it true? is it true?

TUBAL

I spoke with some of the sailors that escaped the wrack.

SHYLOCK

I thank thee good Tubal, good news, good news: ha, ha! there in Genoa.

SHYLOCK

Ah là, là, là, là. Un diamant disparu qui me coûta deux mille ducats à Francfort — jamais malédiction ne tomba sur notre race jusqu'à maintenant, jamais je ne la sentis jusqu'à maintenant — deux mille ducats là, et un autre joyau précieux, précieux... je voudrais que ma fille soit morte à mes pieds avec les joyaux aux oreilles ! Que n'est-elle ensevelie à mes pieds avec les ducats dans son cercueil ! Nulle nouvelle d'eux ? Ah ! c'est ainsi ! et je ne sais ce qu'ont coûté les recherches : Ah ! toi, perte sur perte ! le voleur parti avec tant et tant pour trouver le voleur et nulle satisfaction, nulle revanche. Non, nul malheur que porté par mes épaules, nuls sanglots que par moi poussés, nuls pleurs que par moi versés.

Il pleure.

TUBAL

Si, d'autres aussi ont la malchance. Antonio, dit-on à Gênes —

SHYLOCK

Quoi, quoi, quoi ? malchance, malchance ?

TUBAL

— a un vaisseau qui fit naufrage en revenant de Tripoli.

SHYLOCK

Dieu soit loué, Dieu soit loué ! Est-ce vrai ? est-ce vrai ?

TUBAL

J'ai parlé à des marins rescapés du sinistre.

SHYLOCK

Merci mon bon Tubal, bonnes nouvelles, bonnes nouvelles : ha, ha ! à Gênes on dit ?

TUBAL

90 Your daughter spent in Genoa, as I heard, one night, fourscore ducats.

SHYLOCK

Thou stick'st a dagger in me. I shall never see my gold again—fourscore ducats at a sitting! fourscore ducats!

TUBAL

There came divers of Antonio's creditors in my company to Venice, that swear he cannot choose but break.

SHYLOCK

I am very glad of it, I'll plague him, I'll torture him, I am glad of it.

TUBAL

One of them showed me a ring that he had of your daughter for a monkey.

SHYLOCK

100 Out upon her! thou torturest me, Tubal—it was my turquoise—I had it of Leach when I was a bachelor: I would not have given it for a wilderness of monkeys.

TUBAL

But Antonio is certainly undone.

SHYLOCK

Nay, that's true, that's very true, go Tubal, fee me an officer, bespeak him a fortnight before. I will have the heart of him if he forfeit, for were he out of Venice I can make what merchandise I will... Go, Tubal, and meet me at our synagogue—go, good Tubal—at our synagogue, Tubal.

[Tubal departs and Shylock goes within.

TUBAL

Votre fille a dépensé à Gênes, dit-on, en une nuit quatre-vingts ducats.

SHYLOCK

Tu enfonces un poignard en moi. Je ne reverrai jamais mon or — Quatre-vingts ducats d'un coup ! Quatre-vingts ducats !

TUBAL

Sont venus avec moi à Venise maints créanciers d'Antonio qui jurent qu'il ne peut que faire faillite.

SHYLOCK

J'en suis bien content, je le tourmenterai, je le torturerai, je suis content de ça.

TUBAL

L'un d'eux m'a montré une bague qu'il eut de votre fille pour un singe.

SHYLOCK

Qu'elle soit au diable ! tu me tortures, Tubal — c'était ma turquoise — je l'eus de Léa quand j'étais garçon : je ne l'aurais pas donnée pour une forêt de singes.

TUBAL

Mais Antonio est sûrement ruiné.

SHYLOCK

Ah ! oui, c'est vrai, c'est bien vrai, va Tubal, engage-moi un exempt, retiens-le quinze jours d'avance. Je lui arracherai le cœur s'il fait défaut, car s'il n'était plus à Venise je pourrais faire les affaires que je veux... Va, Tubal, et retrouve-moi à notre synagogue — va, bon Tubal — à notre synagogue, Tubal.

Tubal s'en va et Shylock rentre.

[III, 2.]

The hall of Portia's house at Belmont; the curtains are drawn back from before the caskets; in the gallery sit musicians

BASSANIO *with* PORTIA, GRATIANO *with* NERISSA; *the servitor and other attendants.*

PORTIA

I pray you tarry, pause a day or two
Before you hazard, for in choosing wrong
I lose your company; therefore, forbear awhile.
There's something tells me (but it is not love)
I would not lose you, and you know yourself,
Hate counsels not in such a quality;
But lest you should not understand me well—
And yet a maiden hath no tongue but thought—
I would detain you here some month or two
10 Before you venture for me... I could teach you
How to choose right, but then I am forsworn,
So will I never be, so may you miss me,
But if you do, you'll make me wish a sin,
That I had been forsworn... Beshrew your eyes,
They have o'er-looked me and divided me,
One half of me is yours, the other half yours—
Mine own I would say: but if mine then yours,
And so all yours... O, these naughty times
Put bars between the owners and their rights,
20 And so though yours, not yours. Prove it so—
Let Fortune go to hell for it, not I...
I speak too long, but 'tis to peise the time,
To eche it and to draw it out in length,
To stay you from election.

BASSANIO

Let me choose,
For as I am, I live upon the rack.

SCÈNE II

La salle de la maison de Portia à Belmont ; les rideaux sont ouverts sur les coffrets ; musiciens assis dans la galerie

BASSANIO *avec* PORTIA, GRATIANO *avec* NÉRISSA ; *le valet et autres domestiques.*

PORTIA

Je vous prie de tarder, d'attendre un jour ou deux
Avant de risquer, car si vous choisissez mal
Je perds votre compagnie ; donc patience un peu.
Quelque chose me dit (mais qui n'est pas l'amour)
Que je ne voudrais pas vous perdre, et vous savez
Que la haine jamais ne donne tels conseils.
Mais de peur que vous ne me compreniez pas bien
(Vierge pourtant n'a que sa pensée pour langage)
Je voudrais vous garder un mois ou deux avant
Que vous hasardiez pour moi... Je pourrais vous dire
Comment choisir, mais ce serait être parjure,
Ce que je m'interdis, et vous risquez d'échouer,
Mais alors vous me ferez souhaiter un péché :
Que j'eusse été parjure... Ah ! maudits sont vos yeux,
Ils m'ont ensorcelée et divisée ;
Moitié de moi est vôtre et l'autre moitié vôtre —
Mienne voulais-je dire : et, si mienne, alors vôtre
Et ainsi toute à vous... Oh ! la cruelle époque
Met obstacle entre le possesseur et son bien :
Ce qui est vôtre ne l'est point. Si c'est ainsi —
Que la Fortune aille en enfer, non moi...
Je parle trop mais c'est pour alourdir le temps,
Pour l'augmenter et pour l'étirer en longueur
Et retarder votre choix.

BASSANIO

Laissez-moi choisir,
Car vivre ainsi c'est le chevalet de torture.

PORTIA

Upon the rack, Bassanio? then confess
What treason there is mingled with your love.

BASSANIO

None but that ugly treason of mistrust,
Which makes me fear th'enjoying of my love.
30 There may as well be amity and life
'Tween snow and fire, as treason and my love.

PORTIA

Ay, but I fear you speak upon the rack,
Where men enforcéd do speak any thing.

BASSANIO

Promise me life, and I'll confess the truth.

PORTIA

Well then, confess and live.

BASSANIO

'Confess' and 'love'
Had been the very sum of my confession:
O happy torment, when my torturer
Doth teach me answers for deliverance...
But let me to my fortune and the caskets.

PORTIA

40 Away then! I am locked in one of them—
If you do love me, you will find me out...
Nerissa and the rest, stand all aloof.
Let music sound while he doth make his choice—
Then if he lose, he makes a swan-like end,
Fading in music...

[all but the servitor go up into the gallery.

That the comparison
May stand more proper, my eye shall be the stream,

PORTIA

Le chevalet, Bassanio ? alors avouez-nous
Quelle trahison s'est mêlée à votre amour.

BASSANIO

Nulle autre que celle, affreuse, de se défier de soi
Qui me fait craindre de posséder mon amour.
Il se peut autant de rapport et d'amitié
De neige à feu que de traîtrise à mon amour.

PORTIA

Oui, mais je crains que vous parliez dans la torture,
Qui force à parler n'importe comment.

BASSANIO

Promettez-moi la vie et j'avouerai le vrai.

PORTIA

Eh bien, avoue et vis [16].

BASSANIO

« Avoue et aime »
Eût plutôt résumé tout mon aveu.
Oh ! quel délicieux tourment quand c'est mon bourreau
Qui m'enseigne les réponses libératrices.
Mais menez-moi à mon destin et aux coffrets.

PORTIA

Alors allons ! je suis enfermée dans l'un d'eux —
Si vraiment vous m'aimez, vous me découvrirez...
Nérissa et vous tous, tenez-vous à l'écart.
Que la musique joue tandis qu'il fait son choix —
S'il perd ainsi, voici qu'il finit comme un cygne,
Se mourant en musique...

Tous sauf le valet montent dans la galerie.

Afin que cette image
Soit moins impropre, mon œil sera la rivière

And wat'ry death-bed for him... He may win,
And what is music then? then music is
Even as the flourish when true subjects bow
50 To a new-crownéd monarch: such it is,
As are those dulcet sounds in break of day
That creep into the dreaming bridegroom's ear,
And summon him to marriage... Now he goes,
With no less presence, but with much more love,
Than young Alcides, when he did redeem
The virgin tribute paid by howling Troy
To the sea-monster: I stand for sacrifice:
The rest aloof are the Dardanian wives,
With bleared visages, come forth to view
60 The issue of th'exploit... Go, Hercules!
Live thou, I live. With much much more dismay
I view the fight than thou that mak'st the fray.

'A song, the whilst Bassanio comments on the caskets to himself.'

Tell me where is Francy bred,
Or in the heart, or in the head?
How begot, how nourrishéd?

ALL

Reply, reply.
It is engendred in the eyes,
With gazing fed, and Fancy dies...
In the cradle where it lies.
70 Let us all ring Francy's knell...
I'll begin it—Ding, dong, bell.

ALL

Ding, dong, bell.

BASSANIO

So may the outward shows be least themselves—
The world is still deceived with ornament.
In law, what plea so tainted and corrupt,
But, being seasoned with a gracious voice,
Obscures the show of evil? In religion,

Et son humide lit de mort... Mais gagne-t-il,
Alors qu'est la musique ? Alors la musique est
La fanfare quand les loyaux sujets se courbent
Devant un roi qu'on vient de couronner [17] : Elle est
Ces doux accords dès la pointe du jour
Qui dans l'oreille du promis rêveur se glissent
Et l'appellent à la noce... Et voilà qu'il va
Avec non moins de majesté, mais plus d'amour
Que n'eut le jeune Alcide alors qu'il rachetait
Le virginal tribut payé par Troie en pleurs
Au monstre des mers : je suis prête au sacrifice.
Les autres à l'écart sont les Dardanéennes
Qui avec leur visage éploré viennent voir
L'issue de cet exploit... Allons, Hercule !
Si tu vis, je vivrai : avec bien plus d'effroi
Que toi qui luttes, je regarde ce combat.

'Chanson tandis que Bassanio considère les coffrets.'

Où naît, dis-moi, l'amourette ?
Dans le cœur ou dans la tête ?
Qui l'engendre ? qui l'allaite ?

TOUS

Réponds, réponds.

Par les yeux vient à la vie,
De regards elle est nourrie,
Et dans son berceau périt.
Son glas nous sonnerons
J'entonne : dig, din, don.

TOUS

Dig, din, don.

BASSANIO

Ainsi peuvent les apparences n'être rien —
Le monde est toujours égaré par l'ornement.
En justice, est-il cause infecte et si gâtée
Qui, pimentée d'une gracieuse voix,
Ne voile sa mauvaise face ? En religion,

What damnéd error, but some sober brow
Will bless it, and approve is with a text,
80 Hiding the grossness with fair ornament?
There is no vice so simple, but assumes
Some mark of virtue on his outward parts;
How many cowards, whose hearts are all as false
As stairs of sand, wear yet upon their chins
The beards of Hercules and frowning Mars,
Who, inward searched, have livers white as milk?
And these assume but valour's excrement
To render them redoubted... Look on beauty,
And you shall see 'tis purchased by the weight,
90 Which therein works a miracle in nature,
Making them lightest that wear most of it:
So are those crispéd snaky golden locks
Which make such wanton gambols with the wind,
Upon supposéd fairness, often known
To be the dowry of a second head,
The skull that bred them in the sepulchre...
Thus ornament is but the guiléd shore
To a most dangerous sea; the beauteous scarf
Veiling an Indian beauty; in a word,
100 The seeming truth which cunning times put on
To entrap the wisest... Therefore, thou gaudy gold,
Hard food for Midas, I will none of thee—
Nor none of thee, thou pale and common drudge
'Tween man and man: but thou, thou meagre lead,
Which rather threaten'st than dost promise aught,
Thy plainness moves me more than eloquence,
And here choose I—joy be the consequence!
[*the servitor gives him the key.*

PORTIA

How all the other passions fleet to air,
As doubtful thoughts, and rash-embraced despair,
110 And shudd'ring fear and green-eyed jealousy...
O love, be moderate, allay thy ecstasy,
In measure rain thy joy, scant this excess—
I feel too much thy blessing, make it less,
For fear I surfeit!

Est-il maudite erreur qu'un front sévère
Ne bénisse et n'autorise d'un texte,
Cachant l'énormité sous le bel ornement.
Il n'est si total vice qu'il ne porte
Quelque empreinte de vertu sur son extérieur ;
Combien de lâches, dont le cœur est décevant
Comme escalier de sable, ont au menton pourtant
Une barbe d'Hercule et de Mars en courroux,
Dont qui les sonde voit le foie blanc comme lait ?
Car ils ne portent cette excroissance de la valeur
Que pour être effrayants... Regardez la beauté,
Vous verrez qu'elle est achetée au poids,
Ce qui, par un miracle en la nature,
Rend plus légère qui en porte davantage :
Ainsi ces mèches d'or bouclées et serpentines
Qui font avec le vent de si folles gambades
Sur une prétendue beauté, souvent ne sont
Qu'héritage d'une seconde tête,
Le crâne nourricier gisant dans le sépulcre...
Ainsi l'ornement n'est que la rive trompeuse
De dangereuses mers, la belle écharpe
Qui voile une indienne beauté [18], en bref
L'apparence du vrai que vêt le temps perfide
Pour empiéger les plus sages... Donc, or brillant,
Dur pain du roi Midas, je ne veux pas de toi —
Non plus de toi, tâcheron blême et vil
Courant d'un homme à l'autre : au moins toi, pauvre
[plomb
Qui menaces plus que tu ne promets,
Ta franchise, plus que l'éloquence, m'émeut,
Et moi je te choisis — viens m'apporter la joie.

Le valet lui donne la clé.

PORTIA

Comme les autres passions par les airs s'enfuient,
Doutes de l'âme, désespoir trop vite admis,
Jalousie aux yeux verts, peur frissonnante !...
Amour, apaise tes transports, patiente,
Tiens en rêne ta joie, affaiblis cet excès...
Je sens trop tes bonheurs, amoindris-les,
J'en vais être par trop gorgée !

BASSANIO [*opens the leaden casket*]

What find I here?
Fair Portia's counterfeit... What demi-god
Hath come so near creation? Move these eyes?
Or whether, riding on the balls of mine,
Seem they in motion? Here are severed lips,
Parted with sugar breath—so sweet a bar
120 Should sunder such sweet friends: here in her hairs
The painter plays the spider, and hath woven
A golden mesh t'entrap the hearts of men,
Faster than gnats in cobwebs—But her eyes!
How could he see to do them? having made one,
Methinks it should have power to steal both his,
And leave itself unfurnished: yet look, how far
The substance of my praise doth wrong this shadow
In underprizing it, so far this shadow
Doth limp behind the substance... Here's the scroll,
130 The continent and summary of my fortune.
'You that choose not by the view
Chance as fair and choose as true:
Since this fortune falls to you,
Be content, and seek no new.
If you be well pleased with this,
And hold your fortune for your bliss,
Turn you where your lady is,
And claim her with a loving kiss.'
A gentle scroll... [*he turns to Portia*] Fair lady, by your [leave,
140 I come by note, to give and to receive.
Like one of two contending in a prize,
That thinks he hath done well in people's eyes,
Hearing applause and universal shout,
Giddy in spirit, still gazing in a doubt
Whether those peals of praise be his or no,
So thrice-fair lady stand I, even so,
As doubtful whether what I see be true,
Until confirmed, signed, ratified by you.

BASSANIO, *ouvrant le coffret de plomb.*

Que vois-je ici ?
Le portrait de belle Portia... Quel demi-dieu
Fut si près de créer ? Les yeux se meuvent-ils ?
Ou bien est-ce en suivant la prunelle des miens
Qu'ils semblent mus ? Voici les lèvres entr'ouvertes
Que sépare un souffle embaumé — cloison si douce
Pour si douces amies. Ici, dans ses cheveux,
Le peintre, ainsi qu'une araignée, tissa
Ce réseau d'or pour prendre les cœurs d'hommes
Mieux que moucherons dans les toiles — Mais ses [yeux !
Comment put-il voir pour les peindre ? Le premier [qu'il fit
Pouvait, je crois, lui prendre les deux siens
Et rester sans compagnon. Mais tenez, autant
Le réel de l'éloge à cette ombre fait tort
En la sous-estimant, autant cette ombre
Boite loin du réel... Voici l'écrit
Qui résume et contient ma destinée :
« Toi qui ne choisis pas à vue
Ton choix est bon, ta chance est due :
Puisque ce bonheur t'est venu,
Sois-en content, n'en cherche plus.
Si tu as rencontré ta joie,
Si ton sort a comblé ta foi,
Vers ta dame retourne-toi,
D'un tendre baiser requiers-la. »
Charmant... *(il se retourne vers Portia)*
Belle dame, avec votre bon vouloir,
Je viens, cet ordre en main, offrir et recevoir.
Tel l'un de deux lutteurs concourant pour un prix
Et pensant aux yeux du public avoir réussi,
Qui, s'il entend les cris et applaudissements,
L'âme étourdie, se tient l'œil fixe, ne sachant
Si ces salves et bravos sont ou non pour lui,
Ainsi, oui ! suis-je devant vous, très belle,
Hésitant si ce que je vois est vérité
Tant que ce n'est, par vous, confirmé, signé, ratifié.

PORTIA

You see me, Lord Bassanio, where I stand,
150 Such as I am; though for myself alone
I would not be ambitious in my wish
To wish myself much better, yet for you
I would be trebled twenty times myself—
A thousand times more fair, ten thousand times
More rich—
That only to stand high in your account,
I might in virtues, beauties, livings, friends,
Exceed account: but the full sum of me
Is some of something... which, to term in gross,
160 Is an unlessoned girl, unschooled, unpractised,
Happy in this, she is not yet so old
But she may learn; happier than this,
She is not bred so dull but she can learn;
Happiest of all is that her gentle spirit
Commits itself to yours to be directed,
As from her lord, her governor, her king...

[*they kiss.*

Myself and what is mine to you and yours
Is now converted... But now I was the lord
Of this fair mansion, master of my servants,
170 Queen o'er myself; and even now, but now,
This house, these servants, and this same myself,
Are yours—my lord's!—I give them with this ring,
Which when you part from, lose, or give away,
Let it presage the ruin of your love,
And by my vantage to exclaim on you.

BASSANIO

Madam, you have bereft me of all words,
Only my blood speaks to you in my veins,
And there is such confusion in my powers,
As after some oration fairly spoke
180 By a belovéd prince there doth appear
Among the buzzing pleaséd multitude,

PORTIA

Vous me voyez, seigneur Bassanio, où je suis,
Telle que je suis ; bien que pour moi seule
Je n'aurais guère l'ambition, dans mes désirs,
De me désirer meilleure, pourtant pour vous
Je voudrais tripler vingt fois ma valeur —
Mille fois ma beauté, dix mille fois
Ma richesse [19]...
Rien que pour être haute en votre estime
Et pouvoir, en vertus, beauté, fortune, amis,
Surpasser l'évaluation ; mais je suis en somme
Un quelque chose [20]... qui, pour dire en gros,
Est une fille sans acquis, savoir, ni expérience,
Heureuse au moins de n'être pas trop vieille
Pour apprendre ; et plus heureuse
De n'être pas née si sotte qu'elle ne puisse apprendre ;
Plus heureuse surtout que son esprit docile
Pour être dirigé, au vôtre s'en remette
Comme à son seigneur, son gouverneur et son roi...

Ils s'embrassent.

Moi et ce qui est mien sont, en vous, en ce qui est [vôtre,
A l'instant convertis... Mais j'étais, seigneur, à l'instant,
De ce beau séjour-ci, maître de mes valets,
Reine de moi-même ; et à cet instant, juste à l'instant,
La maison, ces valets et ce même moi-même
Sont à vous — mon maître ! — offerts avec cette [bague
Qui si vous la quittez, la perdez ou la redonnez
Sera le présage de la ruine de votre amour
Et me donnera droit de me plaindre de vous.

BASSANIO

Madame, vous m'avez privé de la parole,
Mais tout mon sang vous parle dans mes veines
Et la confusion de mes facultés est telle
Que celle, après quelque discours bien dit
D'un prince bien-aimé, qui se fait jour
Dans le bourdonnement charmé des multitudes

Where every something, being blent together,
Turns to a wild of nothing, save of joy,
Expressed and not expressed... But when this ring
Parts from this finger, then parts life from hence!
O, then be bold to say Bassanio's dead.

Nerissa and Gratiano descend.

NERISSA

My lord and lady, it is now our time,
That have stood by and seen our wishes prosper,
To cry 'good joy'. Good joy, my lord, and lady!

GRATIANO

190 My Lord Bassanio, and my gentle lady,
I wish you all the joy that you can wish;
For I am sure you can wish none from me:
And, when your honours means to solemnize
The bargain of your faith, I do beseech you,
Even at that time I may be married too.

BASSANIO

With all my heart, so thou canst get a wife.

GRATIANO

I thank your lordship, you have got me one...

[he takes Nerissa by the hand.

My eyes, my lord, can look as swift as yours:
You saw the mistress, I beheld the maid;
200 You loved, I loved—for intermission
No more pertains to me, my lord, than you;
Your fortune stood upon the caskets there,
And so did mine too, as the matter falls:
For wooing here until I sweat again,
And swearing till my very roof was dry
With oaths of love, at last—it promise last—
I got a promise of this fair one here,

Où chaque voix se mêlant à toute autre
Devient une absence de tout, sauf de la joie
Qui sans se dire est dite... Mais si cette bague
Part de ce doigt, c'est qu'alors ma vie part d'ici !
Oh ! alors affirmez que Bassanio est mort.

Nérissa et Gratiano descendent.

NÉRISSA

Monsieur, Madame, il est temps maintenant pour nous
Qui étions là, à voir le succès de nos vœux,
De vous crier « Bonheur ». Bonheur, monsieur, madame !

GRATIANO

Monseigneur Bassanio et vous ma noble dame,
Je vous souhaite tout le bonheur que vous souhaitez,
Car, j'en suis sûr, vos souhaits sont semblables aux [miens ;
Et lorsque vos Honneurs voudront solenniser
L'échange de leur foi, je vous supplie
Qu'en même temps je puisse être marié aussi.

BASSANIO

De tout mon cœur si tu peux trouver une épouse.

GRATIANO

Merci, Monseigneur, vous m'en avez trouvé une.

Il prend Nérissa par la main.

Mes yeux, monseigneur, sont aussi prompts que les [vôtres :
Vous vîtes la maîtresse et j'ai vu la servante ;
Vous aimâtes, j'aimai — car les délais
Ne me conviennent, monseigneur, pas plus qu'à vous ;
Votre sort dépendait des coffrets que voilà,
Le mien de même, ainsi qu'est arrivée la chose.
Car, courtisant ici avec beaucoup de sueurs
Et jurant jusqu'à me dessécher le palais
Par mes serments d'amour, à la fin (si promesse est [fin)
J'obtins promesse de la belle que voici

To have her love... provided that your fortune
Achieved her mistress.

PORTIA

Is this true, Nerissa?

NERISSA

210 Madam, it is, so you stand pleased withal.

BASSANIO

And do you, Gratiano, mean good faith?

GRATIANO

Yes, faith, my lord.

BASSANIO

Our feast shall be much honoured in your marriage.

GRATIANO

We'll play with them the first boy for a thousand [ducats.

NERISSA

What! and stake down?

GRATIANO

No, we shall ne'er win at that sport, and stake down...

Lorenzo, Jessica, and Salerio enter the chamber.

But who comes here? Lorenzo and his infidel?
What, and my old Venetian friend, Salerio?

BASSANIO

Lorenzo and Salerio, welcome hither,
220 If that the youth of my new interest here

Que j'aurais son amour... pourvu que votre chance
Conquière sa maîtresse.

PORTIA

Est-il vrai, Nérissa ?

NÉRISSA

Oui madame, c'est vrai si cela vous agrée.

BASSANIO

Vous engagez-vous, Gratiano, de bonne foi ?

GRATIANO

Ma foi, oui, monseigneur.

BASSANIO

Notre fête sera honorée de vos noces.

GRATIANO

Parions-leur, sur le premier gars, mille ducats [21].

NÉRISSA

Quoi, et bourse déliée ?

GRATIANO

Autrement nous ne gagnerons rien à ce jeu.

Entrent Lorenzo, Jessica et Salério.

Qui vient ici ? Lorenzo et son infidèle ?
Quoi et mon vieil ami vénitien Salério ?

BASSANIO

Lorenzo et Salério, soyez bienvenus,
Si mes droits ne sont ici trop jeunes encore

Have power to bid you welcome... [*to Portia*] By your [leave,
I bid my very friends and countrymen,
Sweet Portia, welcome.

PORTIA

So do I, my lord.
They are entirely welcome.

LORENZO

I thank your honour. For my part, my lord,
My purpose was not to have seen you here,
But meeting with Salerio by the way,
He did entreat me, past all saying nay,
To come with him along.

SALERIO

I did, my lord,
230 And I have reason fort it. Signior Antonio
Commends him to you.

[he gives Bassanio a letter

BASSANIO

Ere I ope his letter,
I pray you, tell me how my good friend doth.

SALERIO

Not sick, my lord, unless it be in mind—
Nor well, unless in mind: his letter there
Will show you his estate.

[Bassanio opens the letter.

GRATIANO

Nerissa, cheer yon stranger, bid her welcome...

[Nerissa greets Jessica; Gratiano salutes Salerio.

Your hand, Salerio. What's the news from Venice?

Pour vous y accueillir... *(à Portia)* Par votre permis-
[sion
Je souhaite à mes compatriotes et amis,
Douce Portia, la bienvenue.

PORTIA

Et moi de même [22].
Ils sont tout à fait bienvenus.

LORENZO

Merci à votre Honneur. Pour ma part, monseigneur,
Mon projet n'était pas de vous trouver ici,
Mais je rencontrai sur mon chemin Salério
Qui me pria, rendant tout refus impossible,
De venir avec lui.

SALÉRIO

Oui, monseigneur,
Et j'avais mes raisons. Le seigneur Antonio
Se recommande à vous.

Il donne une lettre à Bassanio.

BASSANIO

Avant d'ouvrir sa lettre,
Je vous prie, dites-moi comment va mon ami.

SALÉRIO

Pas trop mal, monseigneur, sauf en esprit —
Ni bien non plus sauf en esprit ; sa lettre, là,
Vous dira son état [23]...

Bassanio ouvre la lettre.

GRATIANO

Nérissa, choie cette étrangère, accueille-la.

Nérissa complimente Jessica ; Gratiano salue Salério.

Votre main, Salério. Quoi de neuf à Venise ?

How doth that royal merchant, good Antonio?

[aside.

I know he will be glad of our success,
240 We are the Jasons, we have won the fleece!

SALERIO

I would you had won the fleece that he hath lost.

[the talk apart.

PORTIA

There are some shrewd contents in yon same paper,
That steals the colour from Bassanio's cheek—
Some dear friend dead, else nothing in the world
Could turn so much the constitution
On any constant man... What, worse and worse!

[she lays her hand upon his arm.

With leave, Bassanio—I am half yourself,
And I must freely have the half of anything
That this same paper brings you.

BASSANIO

O sweet Portia,
250 Here are a few of the unpleasant'st words,
That ever blotted paper... Gentle lady,
When I did first impart my love to you,
I freely told you all the wealth I had
Ran in my veins—I was a gentleman—
And then I told you true: and yet, dear lady,
Rating myself at nothing, you shall see
How much I was a braggart. When I told you
My state was nothing, I should then have told you
That I was worse than nothing; for, indeed,
260 I have engaged myself to a dear friend,
Engaged my friend to his mere enemy,
To feed my means... [*with breaking voice*] Here is a [letter, lady,
The paper as the body of my friend,
And every word in it a gaping wound,
Issuing life-blood... But is it true, Salerio?

Comment va ce royal marchand, notre Antonio ?
Je sais qu'il sera heureux de notre succès.
Tels des Jasons, nous avons conquis la toison !

SALÉRIO

Que n'avez-vous conquis celle qu'il a perdue !

Ils parlent à part.

PORTIA

Ce papier contient quelques perfides nouvelles
Qui ôtent aux joues de Bassanio leurs couleurs —
La mort d'un ami cher, rien d'autre au monde
Ne pourrait altérer à ce point le visage
D'un homme de sang-froid... Mais quoi, de pire en
[pire !

Elle pose la main sur son bras.

Permettez, Bassanio — je suis votre moitié
Et j'ai franchement droit à celle
De ce que ce billet contient.

BASSANIO

Douce Portia,
Voici quelques-uns des mots les plus déplaisants
Qui aient jamais taché papier... Ô noble dame
Lorsque je vous fis part, d'abord, de mon amour
Je vous avouai que toute ma richesse
En mes veines coulait — que j'étais gentilhomme —
Et lors je disais vrai : et pourtant, chère dame,
En m'évaluant à rien vous allez voir
Combien je me vantais. Lorsque je vous ai dit
Que mes biens étaient nuls, j'aurais dû dire
Qu'ils étaient plus que nuls ; car, en effet,
Je m'étais fait le débiteur d'un ami cher,
Le faisant débiteur de son pire ennemi,
Pour me nantir un peu... *(avec une voix brisée)* Voici,
[dame, une lettre,
Ce papier ainsi que le corps de mon ami,
Et chaque mot comme une plaie béante
Par où saigne la vie... Est-il vrai, Salério ?

Have all his ventures failed? What, not one hit?
From Tripolis, from Mexico, and England,
From Lisbon, Barbary, and India?
And not one vessel scape the dreadful touch
270 Of merchant-marring rocks?

SALERIO

Not one, my lord.
Besides, it should appear, that if he had
The present money to discharge the Jew,
He would not take it: never dit I know
A creature that did bear the shape of man
So keen and greedy to confound a man.
He plies the duke at morning and at night,
And doth impeach the freedom of the state,
If they deny him justice. Twenty merchants,
The duke himself, and the magnificoes
280 Of greatest port, have all persuaded with him,
But none can drive him from the envious plea
Of forfeiture, of justice, and his bond.

JESSICA

When I was with him, I have heard him swear
To Tubal and to Chus, his countrymen,
That he would rather have Antonio's flesh
That twenty times the value of the sum
That he did owe him: and I know, my lord,
If law, authority, and power deny not,
It will go hard with poor Antonio.

PORTIA

290 Is it your dear friend that is thus in trouble?

BASSIANO

The dearest friend to me, the kindest man,
The best-conditioned and unwearied spirit
In doing courtesies: and one in whom
The ancient Roman honour more appears
Than any that draws breath in Italy.

Tout lui a failli ? Quoi, pas un succès ?
De Tripoli, du Mexique et de l'Angleterre,
De Lisbonne, de la Berbérie et des Indes ?
Et par un navire échappé au choc terrible
Des rocs broyeurs de vaisseaux ?

SALÉRIO

Pas un, monseigneur.
Du reste, il paraîtrait que s'il avait
L'argent comptant pour s'acquitter, le Juif
N'en voudrait pas : je n'ai jamais connu
De créature ayant la forme d'homme
Si avide et affamée de détruire un homme.
Il importune le Duc du matin au soir,
Et prétend qu'on attaque nos franchises
Si l'on dénie son droit. Vingt négociants,
Le Duc en personne et les Magnifiques
Du plus haut rang ont voulu le convaincre,
Mais nul ne l'a dissuadé de l'odieux procès
Pour contrat rompu et billet valable.

JESSICA

Quand j'étais avec lui je l'entendis jurer
Devant Tubal et Chus, ses congénères,
Qu'il voulait avoir la chair d'Antonio
Plutôt que vingt fois le prix de la somme
Qui lui est due : et je sais, monseigneur,
Si la loi, l'autorité, le pouvoir ne s'y opposent,
Que cela ira mal pour le pauvre Antonio.

PORTIA

Est-ce votre ami cher qui est en peine ainsi ?

BASSANIO

Mon ami le plus cher, le meilleur homme,
Le cœur le mieux trempé, le plus infatigable
A obliger quiconque, un homme en qui
L'antique honneur romain apparaît plus
Qu'en quiconque respire en Italie.

PORTIA

What sum owes he the Jew?

BASSIANO

For me, three thousand ducats.

PORTIA

What, no more?
Pay him six thousand, and deface the bond;
Double six thousand, and then treble that,
300 Before a friend of this description
Shall lose a hair thorough Bassanio's fault...
First, go with me to church, and call me wife,
And then away to Venice to your friend;
For never shall you lie by Portia's side
With an unquiet soul! You shall have gold
To pay the petty debt twenty times over.
When it is paid, bring your true friend along.
My maid Nerissa and myself meantime
Will live as maids and widows... Come, away!
310 For you shall hence upon your wedding-day:
Bid your friends welcome, show a merry cheer,
Since your are dear bought, I will love you dear...
But let me hear the letter of your friend.

BASSIANO [*reads*]

'Sweet Bassanio, my ships have all miscarried, my creditors grow cruel, my estate is very low, my bond to the Jew is forfeit, and since, in paying it, it is impossible I should live, all debts are cleared between you and I, if I might but see you at my death: notwithstanding, use your pleasure — if your love do not persuade your to come, let not my letter.' 320

PORTIA

O love, dispatch all business, and be gone!

PORTIA

Combien doit-il au Juif ?

BASSANIO

Pour moi, trois mille ducats.

PORTIA

Quoi, pas plus ?
Donnez-lui en six mille et annulez sa dette ;
O doublez ces six mille et triplez le total
Avant qu'un tel ami
Perde un cheveu par la faute de Bassanio...
Venez à l'église, d'abord, m'y donner nom d'épouse,
Puis filez à Venise auprès de votre ami ;
Car jamais vous ne dormirez près de Portia
Avec une âme troublée ! Vous aurez de l'or
Pour acquitter vingt fois cette dette minime.
Dès que ce sera fait, ramenez votre ami.
Nérissa, ma suivante, et moi pendant ce temps
Vivrons un virginal veuvage... Allons, qu'on aille,
Car il vous faut partir le jour des épousailles.
Accueillez vos amis, montrez-leur joyeux air
Puisque cher acheté vous me resterez cher...
Mais que j'entende la lettre de votre ami.

BASSANIO *lit*

« Cher Bassanio, mes vaisseaux sont perdus, mes créanciers se font cruels, ma fortune est bien bas, mon billet au Juif est en dédit et, puisqu'en le payant il m'est impossible de vivre, toutes dettes sont liquidées entre vous et moi si je peux seulement vous voir à ma mort : néanmoins faites selon votre plaisir — si votre affection ne vous persuade pas de venir, que ne le fasse pas non plus ma lettre.

PORTIA

O mon amour, réglez toute affaire et partez !

BASSIANO

Since I have your good leave to go away,
  I will make haste: but, till I come again,
No bed shall e'er be guilty of my stay,
  No rest be interposer 'twixt us twain.

[they hurry forth.

[III, 3.]

The street before Shylock's house

SHYLOCK *(at his door)*, SOLANIO, ANTONIO, *and a Gaoler.*

SHYLOCK

Gaoler, look to him — tell not me of mercy —
This is the fool that lent out money gratis.
Gaoler, look to him.

ANTONIO

Hear me yet, good Shylock.

SHYLOCK

I'll have my bond, speak not against my bond,
Il have sworn an oath that I will have my bond:
Thou call'dst me dog before thou hadst a cause,
But since I am a dog beware my fangs.
The duke shall grant me justice. I do wonder,
Thou naughty gaoler, that thou art so fond
10 To come abroad with him at his request.

ANTONIO

I pray thee, hear me speak.

SHYLOCK

I'll have my bond—I will not hear thee speak.
I'll have my bond, and therefore speak no more.

BASSANIO

Puisque c'est avec un tel congé que je pars,
Je me hâte ; mais, jusqu'à mon retour chez vous,
Aucun lit ne sera fautif de mon retard,
Nul repos ne mettra son obstacle entre nous.

Ils sortent précipitamment.

SCÈNE III

La rue devant la maison de Shylock

SHYLOCK *à sa porte,* SOLANIO, ANTONIO *et un geôlier.*

SHYLOCK

Geôlier, veille sur lui — point de pitié —
C'est le fou qui prêtait l'argent gratis.
Geôlier, veille sur lui.

ANTONIO

Mais, bon Shylock, écoute.

SHYLOCK

J'exige mon billet, respecte mon billet,
Car j'ai prêté serment que j'aurai mon billet ;
Tu m'as traité de chien sans en avoir motif,
Mais puisque je suis chien méfie-toi de mes crocs.
Le Duc m'accordera justice. Je m'étonne,
Mauvais geôlier, que tu sois assez fou
Pour sortir avec lui sur sa demande.

ANTONIO

Mais, je t'en prie, écoute-moi parler.

SHYLOCK

J'exige mon billet — je ne veux pas t'entendre.
J'exige mon billet, et ne me parle plus.

I'll not be made a soft and dull-eyed fool,
To shake the head, relent, and sigh, and yield
To Christian intercessors... Follow not —
I'll have no speaking, I will have my bond.

[he goes within, slamming the door behind him.

SOLANIO

It is the most impenetrable cur,
That ever kept with men.

ANTONIO

Let him alone,
20 I'll follow him no more with bootless prayers.
He seeks my life — his reason well I know;
I oft delivered from his forfeitures
Many that have at times made moan to me.
Therefore he hates me.

SOLANIO

I am sure, the duke
Will never grant this forfeiture to hold.

ANTONIO

The duke cannot deny the course of law:
For the commodity that strangers have
With us in Venice, if it be denied,
Will much impeach the justice of the state,
30 Since that the trade and profit of the city
Consisteth of all nations... Therefore, go.
These griefs and losses have so bated me,
That I shall hardly spare a pound of flesh
To-morrow to my bloody creditor...
Well, gaoler, on. Pray God, Bassanio come
To see me pay his debt, and then I care not!

[they go.

Je ne tournerai pas au tendre à l'œil stupide
Branlant du chef, molli, soupirant et cédant
Aux supplications des chrétiens... Ne me suis pas —
Je ne veux point de discours, je veux mon billet.

Il rentre dans sa maison, claquant la porte derrière lui.

SOLANIO

C'est le plus implacable des mâtins
Qui ait fréquenté les hommes.

ANTONIO

Laissez,
Je ne le poursuivrai plus de vaines prières.
Il veut ma vie. J'en sais bien la raison ;
J'ai souvent délivré de ses poursuites
Bien des gens qui s'en venaient m'implorer.
C'est pourquoi il me hait.

SOLANIO

Je suis sûr que le Duc
Ne lui permettra pas d'exiger ce dédit.

ANTONIO

Le Duc ne peut arrêter le cours de la loi ;
Car les garanties que les étrangers
Ont chez nous, à Venise, si on les leur nie,
Feront grand tort à la justice de l'État,
Puisque le commerce et les profits de la ville
Dépendent de tous les pays... C'est pourquoi, va :
Ces pertes et chagrins m'ont tant réduit
Que j'aurai peine à trouver la livre de chair
Demain pour mon créancier sanguinaire...
Allons, geôlier. Prie Dieu que vienne Bassanio
Me voir payer sa dette, et plus rien ne m'importe !

Ils sortent.

[III, 4.]

The hall of Portia's house at Belmont

PORTIA, NERISSA, LORENZO, JESSICA, *and a man of Portia's, called* BALTHAZAR.

LORENZO

Madam, although I speak it in your presence,
You have a noble and a true conceit
Of god-like amity, which appears most strongly
In bearing thus the absence of your lord.
But if you knew to whom you show this honour,
How true a gentleman you send relief,
How dear a lover of my lord your husband,
I know you would be prouder of the work,
Than customary bounty can enforce you.

PORTIA

10 I never did repent for doing good,
Nor shall not now: for in companions
That do converse and waste the time together,
Whose souls do bear an egall yoke of love,
There must be needs a like proportion
Of lineaments, of manners, and of spirit;
Which makes me think that this Antonio,
Being the bosom lover of my lord,
Must needs be like my lord. If it be so,
How little is the cost I have bestowed
20 In purchasing the semblance of my soul
From out the state of hellish cruelty?
This comes too near the praising of myself,
Therefore no more of it: hear other things.
Lorenzo, I commit into your hands
The husbandry and manage of my house,
Until my lord's return: for mine own part,
I have toward heaven breathed a secret vow
To live in prayer and contemplation,
Only attended by Nerissa here,

SCÈNE IV

La salle de la maison de Portia à Belmont.

PORTIA, NÉRISSA, LORENZO, JESSICA, *et un homme de la maison de* PORTIA, *nommé* BALTHAZAR.

LORENZO

Madame, je le dis malgré votre présence,
Vous avez une juste et noble conception
De la divine amitié, le prouvant avec éclat
En supportant ainsi l'absence de votre seigneur.
Mais si vous saviez qui vous honorez ainsi,
A quel vrai gentilhomme vous portez secours,
A quel ami cher de monseigneur votre époux,
Je sais que vous seriez plus fière de votre œuvre
Que vous ne pourriez l'être d'un commun bienfait.

PORTIA

Je n'eus jamais repentir d'avoir fait le bien
Ni n'en aurai ce jour : car entre compagnons
Qui se fréquentent et passent le temps ensemble,
Et dont l'âme est sous un égal joug d'affection,
Il faut bien qu'il existe une harmonie pareille
Dans les traits, les manières et l'esprit,
Ce qui me porte à penser qu'Antonio,
Etant l'intime ami de mon seigneur,
Doit ressembler à mon seigneur. Si c'est ainsi,
Qu'il est petit le prix que j'ai payé
Pour soustraire l'image de mon âme
A l'empire infernal des cruautés !
J'approche trop de me vanter moi-même,
N'en parlons plus : écoutez d'autres choses.
Lorenzo, je confie entre vos mains
La marche et l'administration de ma maison
Jusqu'au retour de mon seigneur : pour moi
J'ai soupiré au ciel ce vœu secret
De vivre en prière et contemplation,
Dans la compagnie de la seule Nérissa,

30 Until her husband and my lord's return.
There is a monastery two miles off,
And there we will abide... I do desire you
Not to deny this imposition,
The which my love and some necessity
Now lays upon you.

LORENZO [*bows*]

Madam, with all my heart—
I shall obey you in all fair commands.

PORTIA

My people do already know my mind,
And will acknowledge you and Jessica
In place of Lord Bassanio and myself...
40 So fare you well, till we shall meet again.

LORENZO

Fair thoughts and happy hours attend on you!

JESSICA

I wish your ladyship all heart's content.

PORTIA

I thank you for your wish, and am well pleased
To wish it back on you: fare you well, Jessica...

[Jessica and Lorenzo go out.

Now, Balthazar,
As I have ever found thee honest-true,
So let me find thee still... Take this same letter,
And use thou all th'endeavour of a man
In speed to Padua, see thou render this
50 Into my cousin's hand, Doctor Bellario,
And, look, what notes and garments he doth give thee,
Bring them, I pray thee, with imagined speed
† Unto the tranect, to the common ferry
Which trades to Venice... Waste no time in words,
But get thee gone. I shall be there before thee.

Jusqu'au retour de son époux et de mon maître :
Il est un monastère à deux milles d'ici,
Nous résiderons là. Je vous en prie vraiment,
Ne refusez pas cette charge.
Que mon affection et quelque nécessité
Vous imposent dès lors.

LORENZO, *s'inclinant*

De tout mon cœur, Madame,
J'obéirai à tous vos justes ordres.

PORTIA

Mes gens déjà connaissent mon projet
Et vous obéiront à vous et Jessica
Tout comme à monseigneur Bassanio et moi-même.
Ainsi portez-vous bien jusqu'au revoir.

LORENZO

Qu'instants heureux et pensées belles vous escortent !

JESSICA

Je vous souhaite tout le bonheur du cœur, Madame.

PORTIA

Merci pour votre souhait, j'ai le plaisir
De vous en rendre autant ; et adieu, Jessica.

Jessica et Lorenzo sortent.

Maintenant, Balthazar,
T'ayant toujours trouvé honnêtement fidèle,
Que je te trouve tel encor : prends cette lettre
Et fais tous les efforts humains pour être
En hâte à Padoue, remets ceci en main propre
A mon cousin le docteur Bellario,
Prends soin des papiers et des habits qu'il te donne,
Rapporte-les en toute hâte imaginable
Au traghetto, ce bac public
Qui mène à Venise ; et ne perds pas ton temps en
[discours,
Mais va. Je serai là-bas avant toi.

BALTHAZAR

Madam, I go with all convenient speed.

[he départs.

PORTIA

Comme on, Nerissa—I have work in hand
That you yet know not of; we'll see our husbands
Before they think of us!

NERISSA

Shall they see us?

PORTIA

60 They shall, Nerissa; but in such a habit,
That they shall think we are accomplishéd
With that we lack... I'll hold thee any wager,
When we are both accoutred like young men,
I'll prove the prettier fellow of the two,
And wear my dagger with the braver grace,
And speak between the change of man and boy
With a reed-voice, and turn two mincing steps
Into a manly stride; and speak of frays
Like a fine bragging youth; and tell quaint lies,
70 How honourable ladies sought my love,
Which I denying, they fell sick and died—
I could not do withal! Then I'll repent,
And wish, for all that, that I had not killed them;
And twenty of these puny lies I'll tell,
That men shall swear I have discontinued school
Above a twelvemonth... I have within my mind
A thousand raw tricks of these bragging Jacks,
Which I will practise.

NERISSA

Why, shall we turn to men?

BALTHAZAR

J'y vais, Madame, avec la hâte qui convient.

Il part.

PORTIA

Viens, Nérissa, je mène une entreprise
Dont tu n'as pas idée ; nous verrons nos maris
Avant qu'ils ne songent à nous !

NÉRISSA

Nous verront-ils ?

PORTIA

Oui, Nérissa ; mais sous un tel costume
Qu'ils penseront que nous sommes pourvues
De ce dont nous manquons... Je te parie,
Lorsque nous serons accoutrées en jeunes hommes,
Que je serai le plus joli garçon des deux,
Et porterai ma dague avec meilleure grâce,
Et parlerai comme un garçon qui devient homme
Avec sa voix flûtée, de deux courts pas faisant
Une enjambée virile ; et parlerai querelles
En jeune fanfaron ; et conterai de beaux mensonges :
Comment de grandes dames, ayant cherché mon [amour,
Sur mon refus languirent et moururent —
Sans que j'y pusse rien ! Alors je me repentirai,
Désirant, après tout, ne les avoir point tuées ;
Et dirai vingt de ces menus mensonges
Au point qu'on jurera que j'ai quitté l'école
Au moins depuis un an... J'ai dans l'esprit
Mille tours maladroits de ces vantards,
Que je veux pratiquer.

NÉRISSA

Quoi, nous ferons-nous hommes ?

PORTIA

Fie, what a question's that,
80 If thou wert near a lewd interpreter...
But come, I'll tell thee all my whole device,
When I am in my coach, which stays for us
At the park-gate; and therefore haste away,
For we must measure twenty miles to-day.

[they hurry forth.

[III, 5.]

An avenue of trees leading up to Portia's house; on either side, grassy banks and lawns set with cypresses

LANCELOT *and* JESSICA *approach in conversation.*

LANCELOT

Yes truly, for look you, the sins of the father are to be laid upon the children—therefore, I promise you, I fear you. I was always plain with you, and so now I speak my agitation of the matter: therefore, be o' good cheer, for truly I think you are damned. There is but one hope in it that can do you any good, and that is but a kind of bastard hope neither.

JESSICA

And what hope is that, I pray thee?

LANCELOT

Marry, you may partly hope that your father got you
10 not, that you are not the Jew's daughter.

JESSICA

That were a kind of bastard hope, indeed! So the sins of my mother should be visited upon me.

PORTIA

Ah ! fi donc de la question que voilà,
Si tu étais près d'un interprète égrillard...
Mais viens, je te dirai tout mon projet
Quand je serai dans mon coche, qui nous attend
A la grille du parc ; tu vas donc te hâter :
C'est vingt milles qu'il faut aujourd'hui mesurer.

Elles sortent en hâte.

SCÈNE V

Une avenue d'arbres menant à la maison de Portia ; de chaque côté bordure d'herbe et pelouse avec cyprès.

LANCELOT *et* JESSICA *approchent en parlant.*

LANCELOT

Oui vraiment, car voyez-vous, les péchés du père vont retomber sur les enfants, aussi, je vous promets, j'ai peur pour vous. J'ai toujours été franc avec vous, et donc maintenant je vous dis ma coagitation [24] sur cette affaire : c'est pourquoi, ayez bon courage, car vraiment je pense que vous êtes damnée. Il n'y a qu'un espoir en cela qui puisse vous être bon, et encore ce n'est qu'une espèce d'espoir bâtard.

JESSICA

Et quel espoir est-ce, je te prie ?

LANCELOT

Pardi, vous pouvez en partie espérer que votre père ne vous a pas engendrée, que vous n'êtes pas la fille du Juif.

JESSICA

Ce serait une espèce d'espoir bâtard, en effet ! Alors les péchés de ma mère pèseraient sur moi.

LANCELOT

Truly then I fear you are damned both by father and mother: thus when I shun Scylla, your father, I fall into Charybdis, your mother: well, you are gone both ways.

JESSICA

I shall be saved by my husband—he hath made me a Christian.

LANCELOT

Truly, the more to blame he. We were Christians enow before, e'en as many as could well live, one by
20 another... This making of Christians will raise the price of hogs—if we grow all to be pork-eaters, we shall not shortly have a rasher on the coals for money.

Lorenzo is seen coming from the house.

JESSICA

I'll tell my husband, Lancelot, what you say—here he comes.

LORENZO

I shall grow jealous of you shortly, Lancelot, if you thus get my wife into corners.

JESSICA

Nay, you need not fear us, Lorenzo. Lancelot and I are out. He tells me flatly there's no mercy for me in heaven, because I am a Jew's daughter: and he says
30 you are no good member of the commonwealth, for, in converting Jews to Christians, you raise the price of pork.

LORENZO

I shall answer that better to the commonwealth than you can the getting up of the negro's belly: the Moor is with child by you, Lancelot.

LANCELOT

Vraiment alors j'ai peur que vous soyez damnée à la fois de père et de mère : ainsi quand j'évite Scylla votre père, je tombe dans Charybde, votre mère : ma foi, vous êtes perdue des deux façons.

JESSICA

Je serai sauvée par mon mari — il a fait de moi une chrétienne.

LANCELOT

Vraiment, il n'en est que plus à blâmer, nous étions déjà assez de chrétiens, juste assez pour pouvoir vivre les uns à côté des autres... Cette fabrication de chrétiens fera monter le prix du cochon, si nous devenons tous des mange-porc, on ne pourra bientôt plus, pour son argent, avoir une tranche de lard à griller.

On voit Lorenzo venir de la maison.

JESSICA

Je vais dire à mon mari ce que vous dites — voici qu'il vient.

LORENZO

Je deviendrai bientôt jaloux de vous, Lancelot, si vous attirez ainsi ma femme dans les coins.

JESSICA

Ah ! vous n'avez pas besoin de vous inquiéter de nous, Lorenzo. Lancelot et moi sommes brouillés. Il me dit carrément qu'il n'y a pas de grâce pour moi dans le ciel parce que je suis fille de Juif : et il dit que vous n'êtes pas un bon citoyen, car en convertissant des Juifs vous faites monter le prix du porc.

LORENZO

J'en répondrais mieux devant la République que vous ne le pourriez sur l'accroissement du ventre de la négresse : la Maure est enceinte de vous, Lancelot.

LANCELOT

It is much that the Moor should be more than reason: but if she be less than an honest woman, she is indeed more than I took her for.

LORENZO

How every fool can play upon the word! I think the best grace of wit will shortly turn into silence, and 40 discourse grow commendable in none only but parrots... Go in, sirrah—bid them prepare for dinner.

LANCELOT

That is done, sir—they have all stomachs.

LORENZO

Goodly Lord, what a wit-snapper are you! then bid them prepare dinner.

LANCELOT

That is done too, sir—only 'cover' is the word.

LORENZO

Will you cover then, sir?

LANCELOT

Not so, sir, neither—I know my duty.

LORENZO

Yet more quarrelling with occasion! Wilt thou show the whole wealth of thy wit in an instant? I pray thee, 50 understand a plain man in his plain meaning: go to thy fellows, bid them cover the table, serve in the meat, and we will come in to dinner.

LANCELOT

Il est bon que la Maure soit plus grosse d'amour que de raison : si ce n'est pas de la vertu qu'elle a pris, elle est, en fait, plus que quand je la pris.

LORENZO

Comme tous les sots savent jouer sur les mots ! Je crois que la meilleure qualité de l'esprit sera bientôt le silence et que la parole n'aura plus de mérite que pour les perroquets... Rentrez, maraud, leur dire d'être prêts pour le dîner.

LANCELOT

C'est fait, monsieur — ils ont tous leur estomac.

LORENZO

Bon Dieu, quel bourreau d'esprit vous êtes ! Alors dites-leur de préparer le dîner.

LANCELOT

Il est prêt aussi, monsieur — c'est le « couvert » qu'il faut dire.

LORENZO

Voulez-vous alors vous en tenir au couvert, monsieur ?

LANCELOT

Me tenir couvert ? Ah ! non plus, monsieur — je connais le respect.

LORENZO

Encore querelle de mots ! Veux-tu montrer d'un coup tous les trésors de ton esprit ? Je t'en prie, comprends simplement le langage simple : va dire à tes camarades de mettre le couvert sur la table, de servir les plats et nous viendrons dîner.

LANCELOT

For the table, sir, it shall be served in — for the meat, sir, it shall be covered—for your coming in to dinner, sir, why, let it be as humours and conceits shall govern.

[he goes within.

LORENZO

O dear discretion, how his words are suited!
The fool hath planted in his memory
An army of good words, and I do know
A many foold that stand in better place
60 Garnished like him, that for a tricksy word
Defy the matter... How cheer'st thou, Jessica?
And now, good sweet, say thy opinion,
How dost thou like the Lord Bassanio's wife?

JESSICA

Past all expressing. It is very meet,
The Lord Bassanio live an upright life,
For having such a blessing in his lady
He finds the joys of heaven here on earth,
† An if on earth he do not merit it,
In reason he should never come to heaven!
70 Why, if two gods should play some heavenly match,
And on the wager lay two earthly women,
And Portia one, there must be something else
Pawned with the other, for the poor rude world
Hath not her fellow.

LORENZO

Even such a husband
Hast thou of me, as she is for a wife.

JESSICA

Nay, but ask my opinion too of that.

LORENZO

I will anon—first, let us go to dinner.

LANCELOT

Pour la table, monsieur, on la servira — pour les plats, monsieur, on les mettra à couvert — pour ce qui est de venir dîner, monsieur, vos humeurs et fantaisies en décideront.

Il sort.

LORENZO

O cher bon sens, que de mots à propos !
Ce bouffon a planté dans sa mémoire
Une armée de bons mots, et je connais
Bien des bouffons qui, mieux placés que lui,
Avec autant d'esprit, pour un bon mot
Nient tout bon sens... Comment va Jessica ?
Et maintenant, chérie, ta pensée : aimes-tu
L'épouse de monseigneur Bassanio ?

JESSICA

Plus qu'on ne saurait dire. Il va falloir
Que Bassanio vive une vie parfaite,
Car ayant un tel bonheur en sa dame
Il a trouvé les joies du ciel sur terre,
Et si sur terre il ne les méritait,
Il ne devrait en droit aller au ciel.
Ah ! si deux dieux, faisant quelque pari céleste,
Prenaient deux femmes de ce monde pour enjeu
Et que Portia fût l'une, il faudrait ajouter
Quelque mise à l'autre : ce pauvre et grossier monde
Ne lui a pas d'égale.

LORENZO

En moi, tu as
Un époux pareil à ce qu'elle est comme épouse.

JESSICA

Ouais, mais demandez-moi ce que j'en pense.

LORENZO

Dans un instant — d'abord allons dîner.

JESSICA

Nay, let me praise you while I have a stomach.

LORENZO

No, pray thee, let it serve for table-talk—
80 Then, howsome'er thou speak'st, 'mong other things
I shall digest it.

JESSICA

Well, I'll set you forth.

[they go in to dinner.

JESSICA

Mais laissez-moi vous louer quand j'en ai l'appétit.

LORENZO

Non, garde, je t'en prie, ce propos pour la table :
Ce qu'alors tu diras, avec le reste
Sera bien digéré.

JESSICA

Bon, vous serez servi.

Ils vont dîner.

ACTE IV

[IV, I.]

A Court of Justice; on a platform at the back a great chair of state with three lower chairs on either side; before these a table for clerks, lawyers' desks, etc.

ANTONIO *(guarded)*, BASSANIO, GRATIANO, SOLANIO, *officers, clerks, attendants, and a concourse of people. The* DUKE *in white and six Magnificoes in red enter in state and take their seats.*

DUKE

What, is Antonio here?

ANTONIO

Ready, so please your grace.

DUKE

I am sorry for thee—thou art come to answer
A stony adversary, an inhuman wretch
Uncapable of pity, void and empty
From any dram of mercy.

ANTONIO

I have heard,
Your grace hath ta'en great pains to qualify
His rigorous course; but since he stands obdurate,
And that no lawful means can carry me

SCÈNE PREMIÈRE

Une cour de justice ; sur une estrade au fond une sorte de trône, trois sièges plus bas de chaque côté ; devant ceux-ci une table pour les clercs, etc.

ANTONIO *(gardé)*, BASSANIO, GRATIANO, SOLANIO, *officiers de loi, greffiers, huissiers et concours de peuple.* LE DUC, *en blanc, ainsi que six Magnifiques, en rouge, entrent et prennent leur place.*

LE DUC

Eh bien, Antonio est-il là ?

ANTONIO

Présent, s'il plaît à Votre Grâce.

LE DUC

J'en suis navré pour toi. — Tu es venu répondre
A un ennemi de pierre, un être inhumain,
Inapte à la miséricorde, exempt et vide
De la moindre pitié.

ANTONIO

A ce que j'ai ouï dire,
Votre Grâce s'est donné bien du mal pour modérer
La rigueur de sa poursuite ; mais s'il reste endurci
Et qu'aucun moyen légal ne peut m'emporter

10 Out of his envy's reach, I do oppose
My patience to his fury, and am armed
To suffer with a quietness of spirit
The very tyranny and rage of his.

DUKE

Go one, and call the Jew into the court.

SOLANIO

He is ready at the door, he comes, my lord.

DUKE

Make room, and let him stand before our face...

The crowd parts, and Shylock confronts the Duke; he bows low.

Shylock, the world thinks, and I think so too,
That thou but leadest this fashion of thy malice
To the last hour of act, and then 'tis thought
20 Thou'lt show thy mercy and remorse more strange
Than is thy strange apparent cruelty;
And where thou now exacts the penalty,
Which is a pound of this poor merchant's flesh,
Thou wilt not only loose the forfeiture,
But touched with human gentleness and love,
Forgive a moiety of the principal;
Glancing an eye of pity on his losses,
That have of late so huddled on his back;
Enow to press a royal merchant down,
30 And pluck commiseration of his state
From brassy bosoms and rough hearts of flint,
From stubborn Turks and Tartars, never trained
To offices of tender courtesy...
We all expect a gentle answer, Jew.

SHYLOCK

I have possessed your grace of what I purpose,
And by our holy Sabbath have I sworn
To have the due and forfeit of my bond.
If you deny it, let the danger light
Upon your charter and your city's freedom!

Hors d'atteinte de sa haine, j'oppose
La patience à sa fureur et je suis armé
Pour subir avec le calme de mon esprit
La tyrannie et la rage du sien !

LE DUC

Que l'on fasse venir le Juif devant la cour.

SOLANIO

Il attend à la porte, et le voici, seigneur.

LE DUC

Faites place et qu'il se tienne en notre présence...

La foule se divise et Shylock paraît devant le Duc ; il se courbe très bas.

Shylock, le monde pense, et je le pense aussi,
Que tu ne restes dans ton rôle de méchant
Que jusqu'au dernier acte, auquel, croit-on,
Tu vas montrer clémence et remords plus étranges
Que n'est étrange ta cruauté apparente ;
Et où maintenant tu veux la pénalité,
Une livre de chair de ce pauvre marchand,
Non seulement tu voudras perdre le dédit,
Mais touché de douceur et de tendresse humaines,
Tu le tiendras quitte à moitié du principal ;
Jetant un œil de pitié sur les pertes
Qui depuis peu s'accumulent sur son échine,
Assez pour faire effondrer un marchand royal
Et forcer à apitoyer sur son état
Des seins de bronze et de durs cœurs de pierre,
Des Turcs et des Tatars têtus que rien n'oblige
Aux devoirs de la douce courtoisie...
Nous attendons tous de toi, Juif, réponse gente.

SHYLOCK

J'ai informé de mes intentions Votre Grâce,
Et par notre saint Sabbat j'ai juré
D'avoir mon dû et le dédit de mon billet.
Si vous me le déniez, que le péril en tombe
Sur votre charte et les libertés de la ville !

40 You'll ask me why I rather choose to have
A weight of carrion flesh than to receive
Three thousand ducats: I'll not answer that!
But say it is my humour, is it answered?
What if my house be troubled with a rat,
And I be pleased to give ten thousand ducats
To have it baned? what, are you answered yet?
Some men there are love not a gaping pig,
Some that are mad if they behold a cat,
And others when the bag-pipe sings i'th' nose
50 Cannot contain their urine: for affection,
Mistress of passion, sways it to the mood
Of what it likes or loathes. Now, for your answer:
As there is no firm reason to be rendred,
Why he cannot abide a gaping pig;
Why he, a harmless necessary cat;
Why he, a woollen bag-pipe; but of force
Must yield to such inevitable shame,
As to offend, himself being offended;
So can I give no reason, nor I will not,
60 More than a lodged hate and a certain loathing
I bear Antonio, that I follow thus
A losing suit against him! Are you answered?

BASSANIO

This is no answer, thou unfeeling man,
To excuse the current of thy cruelty!

SHYLOCK

I am not bound to please thee with my answers!

BASSANIO

Do all men kill the things they do not love?

SHYLOCK

Hates any man the thing he would not kill?

BASSANIO

Every offence is not a hate at first!

Vous allez me demander pourquoi je choisis
Un poids de chair pourrie plutôt que recevoir
Trois milliers de ducats ; je ne répondrai point !
Et si je dis : c'est mon humeur, est-ce répondre ?
Ne puis-je, ma maison perturbée par un rat,
Allonger, s'il me plaît, dix milliers de ducats
Pour l'empoisonner ? Avez-vous votre réponse ?
Il y a des gens qui n'aiment pas qu'un porc bâille [25],
D'autres qui sont fous dès qu'ils voient un chat
Et d'autres, quand leur chante au nez la cornemuse,
Lâchent leur urine : car le penchant,
Maître de la passion, la mène au gré
De ses goûts et dégoûts. Or, voici ma réponse :
Comme il n'est de raison ferme pour expliquer
Que l'un ne peut souffrir un porc qui bâille,
L'autre un inoffensif chat familier,
Un autre la laineuse cornemuse [26] et doit,
De force, céder à la honte inévitable
Comme pour offusquer quand offusqué soi-même,
Donc je ne puis ni ne veux expliquer
Hormis par la haine établie et un certain dégoût
Que m'inspire Antonio, pourquoi je le poursuis
De la sorte en y perdant. Ai-je répondu ?

BASSANIO

Ce n'est point là une réponse, homme insensible,
Qui puisse excuser le cours de ta cruauté.

SHYLOCK

Je n'ai pas gagé de te plaire en mes réponses !

BASSANIO

Tous les gens tuent-ils les êtres qu'ils n'aiment pas ?

SHYLOCK

Déteste-t-on ce qu'on ne voudrait tuer ?

BASSANIO

Chaque grief n'est pas forcément de la haine !

SHYLOCK

What, wouldst thou have a serpent sting thee twice?

ANTONIO

70 I pray you, think you question with the Jew
You may as well go stand upon the beach
And bid the main flood bate his usual height,
You may as well use question with the wolf
Why he hath made the ewe bleat for the lamb;
You may as well forbid the mountain pines
To wag their high tops and to make no noise,
When they are fretten with the gusts of heaven;
You may as well do any thing most hard,
As seek to soften that—than which what's harder?—
80 His Jewish heart. Therefore, I do beseech you,
Make no mo offers, use no farther means,
But with all brief and plain conveniency
Let me have judgement and the Jew his will!

BASSANIO

For thy three thousand ducats here is six.

SHYLOCK

If every ducat in six thousand ducats
Were in six parts and every part a ducat,
I would not draw them, I would have my bond!

DUKE

How shalt thou hope for mercy, rendring none?

SHYLOCK

What judgement shall I dread, doing no wrong?
90 You have among you many a purchased slave,
Which, like your asses and your dogs and mules,
You use in abject and in slavish parts,
Because you bought them—shall I say to you,
Let them be free, marry them to your heirs?

SHYLOCK

Quoi, voudrais-tu qu'un serpent te morde deux fois ?

ANTONIO

Je vous en prie, songez que vous parlez au Juif :
Vous pouvez aussi bien vous poster sur la plage
Et dire à la marée de changer de niveau,
Vous pouvez aussi bien débattre avec le loup
Pourquoi il fait pleurer la brebis sur l'agneau ;
Vous pouvez aussi bien défendre aux pins des monts
D'agiter leurs hauts sommets et de bruire
Quand ils sont tourmentés par les souffles du ciel ;
Vous pouvez aussi bien les actions les plus dures
Que tenter d'adoucir — quoi de plus dur ?
Son cœur de Juif. Aussi je vous supplie,
N'offrez plus rien, n'employez plus d'autres moyens,
Mais qu'en toute simplicité et diligence
J'obtienne ma sentence et le Juif sa requête !

BASSANIO

Pour les trois milliers de ducats, en voilà six.

SHYLOCK

Si chaque ducat de ces six mille ducats
Etait coupé en six parts d'un ducat chacune,
Je ne les prendrais pas, je voudrais mon billet !

LE DUC

Quelle merci attendras-tu si tu n'en montres ?

SHYLOCK

Quel jugement craindrai-je en étant dans mon droit ?
Vous avez parmi vous maint esclave acheté
Qui, comme vos chiens, vos ânes et vos mulets,
Vous sert à tout emploi vil et servile
Puisque vous les avez achetés. — Vous dirai-je :
Libérez-les, mariez-les à vos héritières ?

Why sweat they under burthens? let their beds
Be made as soft as yours, and let their palates
Be seasoned with such viands? You will answer,
'The slaves are ours.' So do I answer you...
The pound of flesh, which I demand of him,
100 Is dearly boucht, 'tis mine, and I will have it:
If you deny me, fie upon your law!
There is no force in the decrees of Venice...
I stand for judgement. Answer—shall I have it?

DUKE

Upon my power, I may dismiss this court,
Unless Bellario, a learned doctor,
Whom I have sent for to determine this,
Come here to-day.

SOLANIO

My lord, here stays without
A messenger with letter from the doctor,
New come from Padua.

DUKE

110 Bring us the letters; call the messenger.

BASSANIO

Good cheer, Antonio! what man, courage yet:
The Jew shall have my flesh, blood, bones, and all,
Ere thou shalt lose for me one drop of blood.

[Shylock takes a knife from his girdle and kneels to whet it.

ANTONIO

I am a tainted wether of the flock,
Meetest for death. The weakest kind of fruit
Drops earliest to the ground, and so let me;
You cannot better be employed, Bassanio,
Than to live still, and write mine epitath.

Nerissa enters, dressed as a lawyer's clerk.

Pourquoi suent-ils sous les fardeaux ? Que soient leurs [lits
Aussi doux que les vôtres, leurs palais
Flattés des mêmes mets ? Vous répondrez :
« Les esclaves sont à nous. » Je réponds de même...
La livre de chair que je demande de lui
Est chèrement acquise, est mienne, et je l'aurai :
Si vous me la refusez, fi donc de vos lois !
Il n'est plus de vigueur aux décrets de Venise...
J'attends justice... Répondez : l'aurai-je ?

LE DUC

Je puis, de par mon pouvoir, renvoyer la cour,
A moins que Bellario, savant docteur
Que j'ai fait chercher pour résoudre cette affaire,
N'arrive ici ce jour.

SOLANIO

Seigneur, dehors se tient
Un messager avec des lettres du docteur,
Arrivant juste de Padoue.

LE DUC

Qu'entre le messager ; qu'on nous porte les lettres.

BASSANIO

Sois brave ; Antonio ! Allons, cher, courage encore :
Le Juif aura ma chair, mon sang, mes os et tout,
Avant que pour moi coule une once de ton sang.

Shylock tire un couteau de sa ceinture et s'agenouille pour l'aiguiser.

ANTONIO

Je suis dans le troupeau, cette brebis galeuse
Désignée pour la mort. Le fruit le plus chétif
Tombe au sol le premier, laissez-moi donc ainsi ;
Vous ne sauriez mieux vous employer, Bassanio,
Qu'à vivre encore et rédiger mon épitaphe.

Entre Nérissa habillée en clerc de justice.

DUKE

Came you from Padua, from Bellario?

NERISSA [*bows*]

120 From both, my lord. Bellario greets your grace.

[she presents a letter; the Duke opens and reads it.

BASSANIO

Why dost thou whet thy knife so earnestly?

SHYLOCK

To cut the forfeiture from that bankrupt there.

GRATIANO

Not on thy sole, but on thy soul, harsh Jew,
Thou mak'st thy knife keen: but no metal can,
No, not the hangman's axe, bear half the keenness
Of thy sharp envy: can no prayers pierce thee?

SHYLOCK

No, none that thou hast with enough to make.

GRATIANO

O, be thou damned, inexorable dog,
And for thy life let justice be accused'
130 Thou almost mak'st me waver in my faith,
To hold opinion with Pythagoras
That souls of animals infuse themselves
Into the trunks of men: thy currish spirit
Governed a Wolf, who hanged for human slaughter,
Even from the gallows did his fell soul fleet,
And whilst thou layest in thy unhallowed dam,
Unfused itself in thee; for thy desires
Are wolvish, bloody, starved, and ravenous.

SHYLOCK

Till thou canst rail the seal from off my bond,
140 Thou but offend'st thy lungs to speak so loud:

LE DUC

Arrivez-vous de Padoue ? de chez Bellario ?

NÉRISSA, *s'inclinant.*

Des deux, Seigneur. Bellario salue Votre Grâce.

Elle présente une lettre ; le Duc l'ouvre et lit.

BASSANIO

Pourquoi tant de zèle à aiguiser ton couteau ?

SHYLOCK

Pour tailler sur ce banqueroutier mon dédit.

GRATIANO

Non tant sur ton cuir que sur ton âme, âpre Juif,
S'aiguise ton couteau : mais nul métal ne peut,
Non, ni le fer du bourreau trancher moitié tant
Que ta haine aiguë : Quoi, sourd à toute prière ?

SHYLOCK

A toute que tu aies assez d'esprit pour faire.

GRATIANO

O, sois damné, inexorable chien,
Et, si tu vis, que soit accusée la justice !
Tu me fais presque osciller dans ma foi
Et adopter cette opinion de Pythagore
Que les âmes des animaux mêmes s'insufflent
Dans les corps humains : ton esprit hargneux
Menait un loup qui, pendu pour un meurtre [d'homme,
Du gibet même envola son âme féroce
Et lorsque tu gisais dans ta maudite mère,
L'insuffla en toi ; car tes appétits
Sont lupestres, sanglants, faméliques, voraces.

SHYLOCK

Tant que tu n'effaceras pas le sceau de mon billet,
Tu ne pourras que blesser tes poumons à parler fort :

Repair thy wit, good youth, or it will fall
To cureless ruin... I stand here for law.

DUKE

This letter from Bellario doth commend
A young and learned doctor to our court:
Where is he?

NERISSA

He attendeth here hard by
To know your answer, whether you'll admit him.

DUKE

With all my heart: some three or four of you,
Go give him courteous conduct to this place.

[attendants bow and depart.

Meantime, the court shall hear Bellario's letter...

He reads out the letter.

150 'Your grace shall understand that at the receipt of your letter I am very sick, but in the instant that your messenger came, in loving visitation was with me a young doctor of Rome, his name is Balthazar: I acquainted him with the cause in controversy between the Jew and Antonio the merchant, we turned o'er many books together, he is furnished with my opinion, which bettered with his own learning, the greatness whereof I cannot enough commend, comes with him at my importunity to fill up your grace's request in my
160 stead. I beseech you, let his lack of years be no impediment to let him lack a reverend estimation, for I never knew so young a body with so old a head: I leave him to your gracious acceptance, whose trial shall better publish his commendation.'
Your hear the learned Bellario, what he writes.

Portia enters, dressed as a doctor of civil law, with a book in her hand.

And here, I take it, is the doctor come...
Give me your hand. Come you from old Bellario?

Replâtre ton esprit, jeune homme, ou il va choir
En ruine irrémédiable. Ici je suis la loi.

LE DUC

La lettre de Bellario recommande
A ce tribunal un jeune et savant docteur :
Où est-il ?

NÉRISSA

Il attend tout près d'ici
Pour savoir si vous voulez bien le recevoir.

LE DUC

De tout mon cœur ; que trois ou quatre d'entre nous
Lui fassent jusqu'ici courtoise escorte.

Des huissiers s'inclinent et sortent.

Pendant ce temps la cour entendra cette lettre...

Il lit la lettre.

« Votre Grâce apprendra qu'au reçu de votre lettre j'étais très malade, mais au moment où vint votre messager, j'avais la visite affectueuse d'un jeune docteur de Rome du nom de Balthazar : je l'ai mis au courant du litige entre le Juif et le marchand Antonio, nous avons ensemble feuilleté bien des livres, je l'ai nanti de mon opinion qui, augmentée de sa propre science, dont je ne peux assez louer l'étendue, vient en sa personne et sur mes instances satisfaire à ma place la requête de Votre Grâce. Je vous supplie que son manque d'âge ne soit pas un obstacle qui lui fasse manquer votre respectueuse estime, car je n'ai jamais vu si jeune corps avec tête si mûre : je le livre à votre gracieuse acceptation qui en l'éprouvant publiera mieux sa louange. »
Voilà ce que le savant Bellario écrit.

Entre Portia habillée en docteur de droit civil avec un livre à la main.

Et voici le docteur, sans doute... Votre main.
Venez-vous de chez le vieux Bellario ?

PORTIA

I did, my lord.

DUKE

You are welcome. Take your place...

[an attendant ushers Portia to a desk near the Duke.

Are you acquainted with the difference
That holds this present question in the court?

PORTIA

170 I am informéd throughly of the cause.
Which is the merchant here, and which the Jew?

DUKE

Antonio and old Shylock, both stand forth.

[they step forward and bow to the Duke.

PORTIA

Is your name Shylock?

SHYLOCK

Shylock is my name.

PORTIA

Of a strange nature is the suit you follow,
Yet in such rule that the Venetian law
Cannot impugn you as you do proceed...
You stand within his danger, do you not?

ANTONIO

Ay, so he says.

PORTIA

Do you confess the bond?

ANTONIO

I do.

PORTIA

Oui, seigneur.

LE DUC

Soyez le bienvenu. Prenez place...

Un huissier installe Portia à un bureau près du Duc.

Etes-vous au courant du différend
Qui fait délibérer le tribunal ?

PORTIA

Je suis tout à fait renseigné sur le procès.
Lequel est, ici, le marchand, lequel le Juif ?

LE DUC

Antonio et vous, vieux Shylock, avancez-vous.

Ils font un pas en avant et s'inclinent devant le Duc.

PORTIA

Votre nom est-il Shylock ?

SHYLOCK

Shylock est mon nom.

PORTIA

Vous intentez procès d'une étrange nature,
Bien qu'en règle avec la loi vénitienne au point
Qu'on ne peut faire obstacle à vos poursuites...
Vous êtes à sa merci, n'est-ce pas ?

ANTONIO

Oui, il le dit.

PORTIA

Avouez-vous le billet ?

ANTONIO

Oui.

PORTIA

Then must the Jew be merciful.

SHYLOCK

180 On what compulsion must I? tell me that.

PORTIA

The quality of mercy is not strained,
It droppeth as the gentle rain from heaven
Upon the place beneath: it is twice blessed,
It blesseth him that gives, and him that takes,
'Tis mightiest in the mightiest, it becomes
The thronéd monarch better than his crown,
His sceptre shows the force of temporal power,
The attribute to awe and majesty,
Wherein doth sit the dread and fear of kings:
190 But mercy is above this sceptred sway,
It is enthronéd in the hearts of kings,
It is an attribute to God himself,
And earthly power doth then show likest God's,
When mercy seasons justice: therefore, Jew,
Though justice be thy plea, consider this,
That in the course of justice none of us
Should see salvation: we do pray for mercy,
And that same prayer doth teach us all to render
The deeds of mercy... I have spoke thus much,
200 To mitigate the justice of thy plea,
Which if thou follow, this strict court of Venice
Must needs give sentence 'gainst the merchant there.

SHYLOCK

My deeds upon my head! I crave the law,
The penalty and forfeit on my bond.

PORTIA

Is he not able to discharge the money?

BASSANIO

Yes, here I tender it for him in the court,
Yea, twice the sum. If that will not suffice,

PORTIA

Alors le Juif doit être clément.

SHYLOCK

En vertu de quoi le devrai-je ? dites-moi.

PORTIA

La vertu de clémence est de n'être forcée [27],
Elle descend comme la douce pluie du ciel
Sur ce bas monde : elle est double bénédiction,
Elle bénit qui la donne et qui la reçoit,
Elle est la plus forte chez les plus forts, et sied
Mieux que la couronne au monarque sur son trône,
Car son sceptre brandit le pouvoir temporel,
C'est un attribut de majesté redoutable [28]
Où réside la crainte et la terreur des rois :
Mais la clémence est plus que le règne du sceptre,
Elle a son trône dans le cœur des rois.
Elle est un attribut de Dieu lui-même ;
Et le pouvoir terrestre est plus semblable à Dieu
Quand la clémence adoucit la justice : en effet, Juif,
Bien que tu plaides la justice, considère
Qu'avec le cours de la justice nul de nous
Ne verrait le salut : nous implorons donc la clémence
Et cette même imploration nous dicte à tous
Des actes de clémence... J'ai plaidé
Pour mitiger la rigueur du procès que tu intentes.
Si tu le poursuis, la stricte cour de Venise
Doit forcément juger contre ce marchand-là.

SHYLOCK

Mes actes soient sur ma tête ! Je veux la loi,
La pénalité, le dédit de mon billet.

PORTIA

N'a-t-il pas le moyen de rembourser l'argent ?

BASSANIO

Mais si, je l'offre ici pour lui devant la cour.
Oui, deux fois le montant. Si cela ne suffit,

I will be bound to pay it ten times o'er,
On forfeit of my hands, my head, my heart.
210 If this will not suffice, it must appear
That malice bears down truth...

[he kneels with hands uplifted]

And I beseech you,
Wrest once the law to your authority—
To do a great right, do a little wrong,
And curb this cruel devil of his will.

PORTIA

It must not be, there is no power in Venice
Can alter a decree establishéd:
'Twill be recorded for a precedent,
And many an error by the same example
Will rush into the state. It cannot be.

SHYLOCK

220 A Daniel come to judgement: yea, a Daniel!

[he kisses the hem of her robe.

O wise young judge, how I do honour thee!

PORTIA

I pray you, let me look upon the bond.

SHYLOCK *[swiftly snatching a paper from his bosom]*

Here 'tis, most reverend doctor, here it is.

PORTIA *[taking the paper]*

Shylock, there's thrice thy money offered thee.

SHYLOCK

An oath, an oath, I have an oath in heaven.
Shall I lay perjury upon my soul?
No, not for Venice.

PORTIA *[perusing the paper]*

Why, this bond is forfeit,
And lawfully by this the Jew may claim

Je veux être obligé à payer le décuple
En engageant mes mains et ma tête et mon cœur.
S'il ne suffit encore, il apparaîtra bien
Que la malice accable l'innocence...

Il s'agenouille et tend les mains.

Et je supplie
Qu'une fois la loi cède à votre autorité —
Qu'un grand droit naisse au prix d'une petite entorse
Et vainque ce cruel démon dans ses desseins.

PORTIA

Il ne faut pas ; il n'est de pouvoir à Venise
Capable d'altérer un décret établi ;
Ce serait enregistré comme un précédent
Et maints abus au nom de cet exemple
Envahiraient l'État. Cela ne se peut point.

SHYLOCK

Un Daniel vient juger : oui un Daniel [29].

Il baise le bord de sa robe.

Ô jeune juge avisé, combien je t'honore !

PORTIA

Je vous prie, permettez que je voie le billet.

SHYLOCK, *sortant rapidement un papier de son sein.*

Le voici, très révérend docteur, le voici.

PORTIA, *prenant le papier.*

Shylock, il t'est offert trois fois l'argent.

SHYLOCK

Juré, juré, j'ai juré face au ciel.
Dois-je charger mon âme d'un parjure ?
Non, pas pour tout Venise.

PORTIA, *parcourant le papier.*

Et le terme est échu
Et le Juif par ceci peut, en droit, exiger

A pound of flesh, to be by him cut off
230 Nearest the merchant's heart... Be merciful,
Take thrice thy money, bid me tear the bond.

SHYLOCK

When it is paid according to the tenour...
It doth appear you are a worthy judge,
You know the law, your exposition
Hath been most sound: I charge you by the law,
Whereof you are a well-deserving pillar,
Proceed to judgement: by my soul I swear,
There is no power in the tongue of man
To alter me. I stay here on my bond.

ANTONIO

240 Most heartily I do beseech the court
To give the judgement.

PORTIA

Why then, thus it is.
You must prepare your bosom for his knife.

SHYLOCK

O noble judge! O excellent young man!

PORTIA

For the intent and purpose of the law
Hath full relation to the penalty,
Which here appeareth due upon the bond.

SHYLOCK

'Tis very true: O wise and upright judge!
How much more elder art thou than thy looks!

PORTIA

Therefore, lay bare your bosom.

SHYLOCK

Ay, his breast,
So says the bond, doth it not, noble judge?

250

Une livre de chair qu'il coupera
Au plus près du cœur de ce marchand... Sois clément,
Prends triple argent, fais-moi déchirer le billet.

SHYLOCK

Après qu'il sera payé selon la teneur...
Il paraît bien que vous êtes un digne juge.
Vous connaissez la loi, votre exposé
A été très fort, je vous somme par la loi
Dont vous êtes le bien méritoire pilier
D'en venir au verdict : je jure, sur mon âme,
Qu'il n'est pas au pouvoir de la langue de l'homme
De m'ébranler. Je m'en tiens au billet.

ANTONIO

Je supplie instamment la Cour
De donner son verdict.

PORTIA

Eh bien voici :
Il faut préparer votre sein pour son couteau.

SHYLOCK

O noble juge ! O excellent jeune homme !

PORTIA

Car l'intention et le but de la loi
Agréent pleinement la pénalité
Qui paraît due ici sur le billet.

SHYLOCK

C'est très vrai : O sage et honnête juge !
Combien tu es plus âgé que tu ne parais !

PORTIA

Mettez donc à nu votre sein.

SHYLOCK

Oui, sa poitrine,
Ainsi dit le billet, n'est-ce pas, noble juge ?

'Nearest him heart,' those are the very words.

PORTIA

It is so. Are there balance here, to weigh
The flesh?

SHYLOCK

I have them ready.

[he opens his cloak and takes them out.

PORTIA

Have by some surgeon, Shylock, on your charge,
To stop his wounds, lest he do bleed to death.

SHYLOCK

Is it so nominated in the bond?

[he takes it and examines it closely.

PORTIA

It is not so expressed, but what of that?
'Twere good you do so much for charity.

SHYLOCK

I cannot find it, 'tis not in the bond.

[he gives it back to Portia.

PORTIA

260 You merchant, have you any thing to say?

ANTONIO

But little; I am armed and well prepared.
Give me your hand, Bassanio, fare you well!
Grieve not that I am fall'n to this for you;
For herein Fortune shows herself more kind
Than is her custom: it is still her use,

« Au plus près de son cœur », ce sont les propres termes.

PORTIA

Oui. Avez-vous ici une balance pour peser
La chair ?

SHYLOCK

Je la tiens prête.

Il ouvre son manteau et en sort la balance.

PORTIA

Prenez un chirurgien, Shylock, à votre charge
Pour bander ses plaies et qu'il ne saigne à mourir.

SHYLOCK

Est-ce ainsi spécifié sur le billet ?

Il prend le billet et l'examine de près.

PORTIA

Non, ce n'est pas exprimé, mais qu'importe !
Il serait bon d'agir ainsi par charité.

SHYLOCK

Je n'ai pas trouvé, ce n'est pas sur le billet.

Il le rend à Portia.

PORTIA

Et vous, marchand, avez-vous quelque chose à dire ?

ANTONIO

Peu de chose ; je suis armé et préparé.
Donnez-moi la main, Bassanio, adieu !
N'ayez cure que j'en sois tombé là pour vous ;
Car la Fortune ici se montre plus aimable
Que d'habitude : elle a coutume

To let the wretched man outlive his wealth,
To view with hollow eye and wrinkled brow
An age of poverty; from which ling'ring penance
Of such misery doth she cut me off...

[they embrace.

270 Commend me to your honourable wife,
Tell her the process of Antonio's end,
Say how I loved you, speak me fair in death;
And when the tale is told, bid her be judge
Whether Bassanio had not once a love...
Repent but your that you shall lose your friend,
And he repents not, that he pays your debt...
For if the Jew do cut but deep enough,
I'll pay it instantly with all my heart.

BASSANIO

Antonio, I am married to a wife
280 Which is as dear to me as life itself,
But life itself, my wife, and all the world,
Are not with me esteemed above thy life.
I would lose all, ay, sacrifice them all
Here to this devil, to deliver you.

PORTIA

Your wife would give you little thanks for that,
If she were by, to hear you make the offer.

GRATIANO

I have a wife, whom, I protest, I love—
I would she were in heaven, so she could
Entreat some power to change this currish Jew.

NERISSA

290 'Tis well you offer it behind her back,
The wish would make else an unquiet house.

(SHYLOCK

These be the Christian husbands! I have a daughter—
Would any of the stock of Bárrabas

De laisser le malheureux survivre à ses biens
Pour voir d'un œil cave et d'un front ridé
Un siècle de misère ; or la détresse
De ce long châtiment m'est par elle épargnée...

Ils s'embrassent.

Recommandez-moi à votre honorable épouse,
Racontez-lui comment a fini Antonio,
Dites combien je vous aimai, rendez justice au mort ;
Et, quand tout sera dit, faites-la juge
Si Bassanio n'a pas été chéri...
N'ayez que le regret de perdre votre ami,
Il n'aura pas regret de payer votre dette...
Car pour peu que le Juif incise assez profond,
Je paierai instantanément de tout mon cœur.

BASSANIO

Antonio, j'ai épousé une femme
Qui m'est aussi chérie que la vie même,
Mais la vie même et ma femme, et le monde entier,
Ne valent pas, pour moi, plus que ta vie.
Je voudrais perdre tout, oui, les sacrifier tous
Ici à ce démon, pour vous sauver.

PORTIA

Votre femme vous remercierait peu
Si elle était ici pour entendre votre offre.

GRATIANO

J'ai une épouse que j'aime, je le prétends —
Je la voudrais dans le ciel si elle y pouvait
Fléchir un pouvoir pour changer ce Juif hargneux.

NÉRISSA

C'est bien que vous le souhaitiez derrière son dos,
Votre offre autrement troublerait votre maison.

SHYLOCK

Voilà bien les maris chrétiens ! j'ai une fille —
Ah ! si quelqu'un de la souche de Barabbas [30]

Had been her husband, rather than a Christian...
[*aloud*] We trifle time, I pray thee pursue sentence.

PORTIA

A pound of that same merchant's flesh is thine,
The court awards it, and the law doth give it.

SHYLOCK

Most rightful judge!

PORTIA

And you must cut this flesh from off his breast,
300 The law allows it, and the court awards it.

SHYLOCK

Most learnéd judge—a sentence—come, prepare.

[he advances with knife drawn.

PORTIA

Tarry a little, there is something else.
This bond doth give thee here no jot of blood—
The words expressly are 'a pound of flesh':
Take then thy bond, take thou thy pound of flesh,
But, in the cutting it, if thou dost shed
One drop of Christian blood, thy lands and goods
Are by the laws of Venice confiscate
Unto the state of Venice.

GRATIANO

310 O upright judge!—mark, Jew—O learnéd judge!

SHYLOCK

Is that the law?

PORTIA [*opens her book*]

Thyself shalt see the act:
For, as thou urgest justice, be assured
Thou shalt have justice more than thou desir'st.

Eût été son mari en place d'un chrétien...
(Tout haut.) Nous gaspillons le temps, je te prie de
[poursuivre.

PORTIA

Une livre de chair du marchand est à toi :
La cour le reconnaît et la loi te l'accorde.

SHYLOCK

Juge très équitable !

PORTIA

Et vous devez tailler cette chair dans son sein,
La loi vous l'accorde et la cour le reconnaît.

SHYLOCK

Très savant juge — un vrai verdict — allons, soit prêt.

Il avance avec son couteau

PORTIA

Arrête un peu, il y a autre chose.
Ce billet ne t'alloue pas un iota de sang.
Les propres termes sont : « une livre de chair ».
Prends selon ton billet, prends ta livre de chair ;
Mais en la taillant si tu fais couler
Une goutte de sang chrétien, tes terres et tes biens
Sont confisqués par les lois de Venise
Pour l'État de Venise.

GRATIANO

O juge honnête ! — attention, Juif — O savant juge !

SHYLOCK

Est-ce la loi ?

PORTIA, *ouvrant son livre.*

Tu verras le texte toi-même :
Car, puisque tu veux la justice, sois certain
Que tu auras la justice, au-delà de tes désirs.

GRATIANO

O learnéd judge!—mark, Jew—a learnéd judge!

SHYLOCK

I take this offer then—pay the bond thrice,
And let the Christian go.

BASSIANO

Here is the money.

PORTIA

Soft!
The Jew shall have all justice—soft, no haste—
He shall have nothing but the penalty.

GRATIANO

O Jew! an upright judge, a learnéd judge!

PORTIA

320 Therefore, prepare thee to cut off the flesh.
Shed thou no blood, nor cut thou less nor more
But just a pound of flesh: if thou tak'st more
Or less than a just pound, be it but so much
As makes it light or heavy in the substance,
Or the division of the twentieth part
Of one poor scruple, nay, if the scale do turn
But in the estimation of a hair,
Thou diest and all thy goods are confiscate.

GRATIANO

A second Daniel, a Daniel, Jew!
330 Now, infidel, I have you on the hip.

PORTIA

Why doth the Jew pause? take thy forfeiture.

SHYLOCK

Give me my principal, and let me go.

GRATIANO

O savant juge ! — attention, Juif — un savant juge !

SHYLOCK

J'accepte l'offre alors, payez au triple mon billet
Et laissez le chrétien.

BASSANIO

Voici l'argent.

PORTIA

Tout doux !
Le Juif aura justice en tout — tout doux, moins vite —
Il n'aura rien que la pénalité.

GRATIANO

O Juif un juge honnête, un savant juge !

PORTIA

Prépare-toi donc à tailler la chair.
Ne verse pas de sang, ne taille moins ni plus,
Mais juste une livre de chair : si tu prends plus
Ou moins d'une livre exacte, ne fût-ce
Qu'en faisant bon poids ou chiche mesure,
Ou bien d'une fraction de la vingtième part
D'un seul pauvre soupçon, oui, si le plateau penche
Seulement de la valeur d'un cheveu,
Tu meurs et tous tes biens sont confisqués.

GRATIANO

Un second Daniel, un Daniel, ô Juif !
Maintenant, infidèle, on te tient sur le flanc.

PORTIA

Pourquoi tardes-tu, Juif ? prends donc ton gage.

SHYLOCK

Donnez-moi mon principal et que je m'en aille.

BASSANIO

I have it ready for thee, here it is.

PORTIA

He hath refused it in the open court,
He shall have merely justice and his bond.

GRATIANO

A Daniel, still say I, a second Daniel!
I thank thee, Jew, for teaching me that word.

SHYLOCK

Shall I not have barely my principal?

PORTIA

Thou shalt have nothing but the forfeiture
340 To be so taken at thy peril, Jew.

SHYLOCK

Why then the devil give him good of it!
I'll stay no longer question.

[he turns to go.

PORTIA

Tarry, Jew.
The law hath yet another hold on you...

[she reads from her book.

It is enacted in the laws of Venice,
If it be proved against an alien,
That by direct or indirect attempts
He seek the life of any citizen,
The party 'gainst the which he doth contrive
Shall seize one half his goods, the other half
350 Comes to the privy coffer of the state,
And the offender's life lies in the mercy
Of the duke only, 'gainst all other voice...

[she closes the book.

BASSANIO

Je l'ai préparé pour toi, le voici.

PORTIA

Il l'a refusé en plein tribunal,
Il n'aura rien que la justice et son billet.

GRATIANO

Un Daniel, je le répète, un second Daniel !
Merci, Juif, de m'avoir appris ce mot.

SHYLOCK

N'aurai-je pas nûment mon principal ?

PORTIA

Tu ne dois rien avoir que le dédit,
Qui est à prendre, ô Juif, à tes périls.

SHYLOCK

Eh bien alors que le diable s'en charge !
Je n'ergoterai pas plus outre.

Il se tourne pour partir.

PORTIA

Arrête, Juif,
Car la loi encore a une prise sur toi...

Elle lit dans son livre.

Il est prescrit dans les lois de Venise
Que s'il est prouvé contre un étranger,
Que par moyens directs ou indirects
Il a cherché la mort d'un citoyen,
La partie contre laquelle il complote
Saisit la moitié de ses biens, l'autre moitié
Revient au trésor privé de l'État
Et la vie de l'offenseur dépend de la grâce
Du Duc seul, qui a voix prépondérante.

Elle ferme le livre.

In which predicament, I say, thou stand'st:
For it appears by manifeste proceeding,
That indirectly and directly too
Thou hast contrived against the very life
Of the defendant; and thou has incurred
The danger formerly by me rehearsed...
Down, therefore, and beg mercy of the duke.

GRATIANO

360 Beg that thou mayst have leave to hang thyself,
And yet thy wealth being forfeit to the state,
Thou hast not left the value of a cord,
Therefore thou must be hanged at the state's charge.

DUKE

That thou shalt see the difference of our spirit,
I pardon thee thy life before thou ask it:
For half thy wealth, it is Antonio's—
The other half comes to the general state,
Which humbleness may drive unto a fine.

PORTIA

Ay, for the state, not for Antonio.

SHYLOCK

370 Nay, take my life and all, pardon not that.
You take my house, when you do take the prop
That doth sustain my house; you take my life,
When you do take the means whereby I live.

PORTIA

What mercy can you render him, Antonio?

GRATIANO

A halter gratis—nothing else, for God's sake.

ANTONIO

So please my lord the duke and all the court
To quit the fine for one half of his goods,

Voilà la situation, dis-je, où tu te tiens ;
Car il appert, d'après des preuves manifestes,
Qu'indirectement et directement aussi
Tu as comploté contre la vie même
Du défendeur ; et tu as encouru
Cette peine sus-mentionnée par moi...
A genoux, donc, et mendie au Duc sa clémence.

GRATIANO

Mendie la permission de te pendre toi-même ;
Mais ta fortune ayant fait retour à l'État
Il ne te reste plus la valeur d'une corde,
Tu dois donc être pendu aux frais de l'État.

LE DUC

Pour que tu voies la différence entre nos âmes,
Je te remets ta vie avant que tu l'implores :
Quant à tes biens, la moitié est à Antonio,
L'autre moitié revient au trésor de l'État,
Arrêt qu'un repentir peut changer en amende.

PORTIA

D'accord pour l'État, non pour Antonio.

SHYLOCK

Non, prenez ma vie et tout, ne me laissez rien.
Vous prenez ma maison quand vous prenez l'étai
Qui soutient ma maison ; et vous prenez ma vie
Quand vous prenez les moyens par lesquels je vis.

PORTIA

Que peut lui donner votre clémence, Antonio ?

GRATIANO

Une corde gratis — rien de plus, de par Dieu.

ANTONIO

Qu'il plaise à monseigneur le Duc et à la cour
De lui rendre moitié de ses biens sans amende,

I am content; so he will let me have
The other half in use, to render it
380 Upon his death unto the gentleman
That lately stole his daughter...
Two things provided more, that, for this favour,
He presently become a Christian;
The other, that he do record a gift,
Here in the court, of all he dies possessed,
Unto his son Lorenzo and his daughter.

DUKE

He shall do this, or else I do recant
The pardon that I late pronouncéd here.

PORTIA

Art thou contented, Jew? what dost thou say?

SHYLOCK

390 I am content.

PORTIA [*to Nerissa*].

Clerk, draw a deed of gift.

SHYLOCK

I pray you give me leave to go from hence,
I am not well, send the deed after me,
And I will sign it.

DUKE

Get thee gone, but do it.

GRATIANO

In christ'ning thou shalt have two godfathers—
Had I been judge, thou shouldst have had ten more,
To bring thee to the gallows, not the font.

[Shylock totters out amid cries of execration.

DUKE [*rising*]

Sir, I entreat you home with me to dinner.

Et je serai satisfait ; pourvu qu'il me laisse
Gérer l'autre afin de la restituer
Après sa mort au gentilhomme
Qui récemment a enlevé sa fille...
A deux conditions de plus, pour cette faveur :
L'une que sur-le-champ il se fasse chrétien,
L'autre qu'il enregistre donation
Devant la cour de tous ses biens lors de sa mort
A son fils Lorenzo et à sa fille.

LE DUC

Il fera ainsi, ou bien je rétracte
Le pardon que je viens de prononcer.

PORTIA

Es-tu consentant, ô Juif ? Que dis-tu ?

SHYLOCK

Oui.

PORTIA, *à Nérissa.*

Greffier, rédigez l'acte de donation.

SHYLOCK

Je vous prie, permettez-moi de partir d'ici,
Je ne suis pas bien, envoyez-moi l'acte
Et je le signerai.

LE DUC

Va-t'en, mais signe-le.

GRATIANO

Au baptême tu auras deux parrains —
Tu en aurais dix de plus, si j'eusse été juge,
Pour te mener au gibet, non au baptistère.

Shylock sort en vacillant parmi les cris d'exécration.

LE DUC, *se levant.*

Je vous prie, messire, à dîner chez moi.

PORTIA

I humbly do desire your grace of pardon,
I must away this night toward Padua,
400 And it is meet I presently set forth.

DUKE

I am sorry that your leisure serves you not...

[he comes down from his throne.

Antonio, gratify this gentleman,
For in my mind you are much bound to him.

[the Duke, the Magnificoes and their train depart; the crowd disperses.

BASSANIO

Most worthy gentleman, I and my friend
Have by your wisdom been this day acquitted
Of grievous penalties, in lieu whereof,
Three thousand ducats, due unto the Jew,
We freely cope your courteous pains withal.

ANTONIO

And stand indebted, over and above,
410 In love and service to you evermore.

PORTIA

He is well paid that is well satisfied,
An I, delivering you, am satisfied,
And therein do account myself well paid.
My mind was never yet more mercenary...

[passing them with a bow.

I pray you, know me when we meet again.
I wish you well, and so I take my leave.

BASSANIO [*hasting after*]

Dear sir, of force I must attempt your further.
Take some remembrance of us, as a tribute,

PORTIA

Je demande humblement pardon à Votre Grâce :
Je dois être de retour à Padoue ce soir
Et il convient que je parte à présent.

LE DUC

Désolé que vous ayez si peu de loisir...

Il descend de son trône.

Antonio, récompensez donc ce gentilhomme
Car à mes yeux vous lui devez beaucoup.

Le Duc, les Magnifiques et leur suite sortent, la foule se disperse.

BASSANIO

Très digne gentilhomme, et mon ami et moi
Ayant, par votre sagesse, été, ce jour, quittes
De cruelles pénalités, nous vous offrons
Les trois mille ducats dus à ce Juif,
Bien volontiers pour vos gracieuses peines.

ANTONIO

Demeurant, par surcroît, vos débiteurs
En affection et dévouement perpétuels.

PORTIA

Est assez payé qui est satisfait.
Or vous délivrant je suis satisfait.
Et du fait je me compte assez payé.
Je n'eus jamais de penchant mercenaire...

Les dépassant en les saluant.

Quand nous nous reverrons, veuillez me reconnaître.
Je vous souhaite du bien et prends congé de vous.

BASSANIO, *se hâtant après elle.*

Cher messire, il faut absolument que j'insiste.
Prenez de nous quelques souvenirs, en tribut,

Not as a fee: grant me two things, I pray you,
420 Not to deny me, and to pardon me.

PORTIA [*stops at the door*]

You press me far, and therefore I will yield.
Give me your gloves, I'll wear them for your sake.

[he doffs them.

And, for your love, I'll take this ring from you—
Do not draw back your hand— I'll take no more,
And you in love shall not deny me this?

BASSANIO

This ring, good sir—alas, it is a trifle—
I will not shame myself to give you this.

PORTIA

I will have nothing else but only this,
And now, methinks, I have a mind to it.

BASSANIO

430 There's more depends on this than on the value.
The dearest ring in Venice will I give you,
And find it out by proclamation,
Only for this, I pray you, pardon me.

PORTIA

I see, sir, you are liberal in offers.
You taught me first to beg, and now, methinks,
You teach me how a beggar should be answered.

BASSANIO

Good sir, this ring was given me by my wife,
And when she put it on, she make me vow
That I should neither sell nor give nor lose it.

PORTIA

440 That 'scuse serves many men to save their gifts.
And if your wife be not a mad-woman,

Non en salaire : accordez-moi deux points, de grâce,
Ne pas me refuser et ne pas m'en vouloir.

PORTIA, *s'arrêtant sur la porte.*

Vous me pressez tant que je veux céder.
Vos gants, que je les porte en souvenir de vous.

Il ôte ses gants.

Et par affection je vous prendrai cette bague —
Ne retirez pas la main — je n'en veux pas plus,
Et votre affection ne me la déniera pas !

BASSANIO

Cette bague, messire, est, hélas, bagatelle —
Et vous l'offrir ferait ma propre honte.

PORTIA

Je ne veux rien avoir que cela seul ;
Oui, j'en ai, ce me semble, fort envie.

BASSANIO

J'y suis attaché beaucoup plus qu'à sa valeur.
Je veux vous offrir la bague du plus grand prix
Dans Venise, et l'y trouver par proclamation,
Mais je vous prie de m'excuser pour celle-ci.

PORTIA

Je vois, monsieur, vous êtes généreux en phrases.
Vous m'enseignez d'abord à mendier, puis, je crois,
Vous m'apprenez comment on répond au mendiant.

BASSANIO

Bon monsieur, cette bague est un don de ma femme
Qui, en me la passant, m'a fait jurer
De ne la vendre ni la donner ni la perdre.

PORTIA

Pareille excuse épargne plus d'un don.
A moins que votre épouse ne fût folle,

And known how well I have deserved this ring,
She would not hold out enemy for ever,
For giving it to me... Well, peace be with you!

[she sweeps out, Nerissa following.

ANTONIO

My Lord Bassanio, let him have the ring.
Let his deservings and my love withal
Be valued 'gainst your wife's commandment.

BASSANIO

Go, Gratiano, run and overtake him,
Give him the ring, and bring him if thou canst
450 Unto Antonio's house—away, make haste.

[Gratiano hurries forth.

Come, you and I will thither presently,
And in the morning early will we both
Fly toward Belmont. Come, Antonio.

[they go.

[IV, 2.]

A street in Venice before the Court of Justice

PORTIA *and* NERISSA *come from the Court.*

PORTIA [*gives a paper*]

Inquire the Jew's house out, give him this deed,
And let him sign it. We'll away to-night,
And be a day before our husbands home:
This deed will be well welcome to Lorenzo.

Gratiano comes running from the Court.

GRATIANO

Fair sir, you are well o'erta'en:
My Lord Bassanio, upon more advice,

Si elle apprenait à quel point j'ai mérité la bague
Elle ne pourrait vous tenir toujours rancune
Pour me l'avoir donnée... Allons, soyez en paix !

Elle sort, Nérissa la suit.

ANTONIO

Monseigneur Bassanio, laissez-lui cette bague.
Que ses services, que mon affection avec,
Aient plus de valeur que l'ordre de votre épouse.

BASSANIO

Va, Gratiano, cours et rattrape-le,
Donne-lui cette bague et, si tu peux, l'amène
Jusqu'à la maison d'Antonio — pars et fais vite.

Gratiano sort en hâte.

Venons-y, vous et moi, présentement,
Et tous les deux, demain de bon matin
Nous volerons vers Belmont. Venez, Antonio.

Ils sortent.

SCÈNE II

Une rue à Venise devant la cour de justice.

PORTIA *et* NÉRISSA *viennent de la cour.*

PORTIA, *donnant un papier*

Sache où le Juif habite et donne-lui cet acte
Pour qu'il le signe. Nous partons ce soir
Et serons chez nous un jour avant nos maris :
Cet acte sera bienvenu pour Lorenzo.

Gratiano vient de la Cour en courant.

GRATIANO

Je vous rattrape heureusement, beau sire :
Monseigneur Bassanio, réflexion faite,

Hath sent you here this ring, and doth entreat
Your company at dinner.

PORTIA

That cannot be:
His ring I do accept most thankfully,
10 And so I pray you tell him: furthermore,
I pray you, show my youth olde Shylock's house.

GRATIANO

That will I do.

NERISSA

Sir, I would speak with you...

[takes Portia aside.

I'll see if I can get my husband's ring,
Which I did make him swear to keep for ever.

PORTIA

Thou mayst, I warrant. We shall have old swearing
That they did give the rings away to men;
But we'll outface them, and outswear them too...
Away, make haste, thou know'st where I will tarry.

NERISSA [*turns to Gratiano*]

Come, good sir, will you show me to this house?

[they go their ways.

Vous envoie cette bague et sollicite
Votre compagnie à dîner.

PORTIA

C'est impossible :
Sa bague, je l'accepte avec reconnaissance
Et vous prie de bien le lui dire : en outre,
Veuillez montrer la maison du Juif à mon clerc.

GRATIANO

Volontiers.

NÉRISSA

Monsieur, je voudrais vous dire un mot.

Elle prend Portia à part.

Voyons si j'obtiens la bague de mon mari,
Que je lui fis jurer de conserver toujours.

PORTIA

Tu l'obtiendras, pour sûr, avec de grands serments
Comme quoi ils ont donné leur bague à des hommes ;
Mais nous les démentirons en jurant aussi.
Va, hâte-toi, tu sais où je t'attends.

NÉRISSA, *se tournant vers Gratiano*

Venez, monsieur, m'indiquez-vous cette maison ?

Ils vont leur chemin.

ACTE V

[V, 1.]

The avenue before Portia's house at Belmont;
a summer night; a moon with drifting clouds

LORENZO *and* JESSICA *pace softly beneath the trees.*

LORENZO

The moon shines bright... In such a night as this,
When the sweet wind did gently kiss the trees,
And they did make no noise, in such a night
Troilus methinks mounted the Troyan walls,
And sighed his soul toward the Grecian tents,
Where Cressid lay that night.

JESSICA

In such a night
Did Thisbe fearfully o'ertrip the dew,
And saw the lion's shadow ere himself,
And ran dismayed away.

LORENZO

In such a night
10 Stood Dido with a willow in her hand
Upon the wild sea banks, and waft her love
To come again to Carthage.

SCÈNE PREMIÈRE

L'avenue devant la maison de Portia à Belmont ;
une nuit d'été.

LORENZO *et* JESSICA *marchent doucement sous les arbres.*

LORENZO

La lune brille clair... Par une nuit pareille,
Lorsque le doux zéphyr baisait, tendre, les arbres
Qui restaient sans rumeur, par une nuit pareille
Montait, je crois, Troïle aux murs troyens,
Poussant, d'un soupir, son âme vers le camp grec
Où dormait Cressida.

JESSICA

Par une nuit pareille
Thisbé timide, effleurant du pied la rosée,
Voyait l'ombre du lion devancer le lion même
Et fuyait de frayeur.

LORENZO

Par une nuit pareille
Didon [31] debout, d'un rameau de saule en sa main,
Sur les sables déserts rappelait vers Carthage
Le bien-aimé lointain.

JESSICA

In such a night
Medea gathered the enchanted herbs
That did renew old Æson.

LORENZO

In such a night
Did Jessica steal from the wealthy Jew,
And with an unthrift love did run from Venice
As far as Belmont.

JESSICA

In such a night
Did young Lorenzo swear he loved her well,
Stealing her soul with many vows of faith,
20 And ne'er a true one.

LORENZO

In such a night
Did pretty Jessica (like a little shrew!)
Slander her love, and he forgave it her.

JESSICA

I would out-night you, did no body come:
But, hark, I hear the footing of a man.

Stephano approaches, running.

LORENZO

Who comes so fast in silence of the night?

STEPHANO

A friend.

LORENZO

A friend! what friend? your name, I pray you, friend?

STEPHANO

Stephano is my name, and I bring word
My mistress will before the break of day

JESSICA

Par une nuit pareille
Médée cueillait l'herbe enchantée par qui
Rajeunirait le vieil Éson.

LORENZO

Par une nuit pareille
Jessica, s'échappant de chez le riche Hébreux,
S'enfuyait de Venise avec l'amant prodigue,
Jusqu'à Belmont.

JESSICA

Par une nuit pareille
Le jeune Lorenzo lui jurait qu'il l'aimait,
S'emparant de son âme à force de serments
Dont pas un n'était vrai.

LORENZO

Par une nuit pareille
La jolie Jessica (en petite chipie)
Calomniait son amant qui le lui pardonnait.

JESSICA

Je vous surnuiterais si ne venait quelqu'un ;
Ecoutez donc, j'entends les pas d'un homme.

Stéphano arrive en courant.

LORENZO

Qui vient si vite dans le silence nocturne ?

STÉPHANO

Un ami.

LORENZO

Un ami ! Quel ami ? votre nom, s'il vous plaît.

STÉPHANO

Mon nom est Stéphano, et je viens vous apprendre
Que ma maîtresse avant le point du jour sera

30 Be here at Belmont—she doth stray about
By holy crosses, where she kneels and prays
For happy wedlock hours.

LORENZO

Who comes with her?

STEPHANO

None, but a holy hermit and her maid...
I pray you, is my master yet returned?

LORENZO

He is not, nor we have not heard from him.
But go we in, I pray thee, Jessica,
And ceremoniously let us prepare
Some welcome for the mistress of the house.
Lancelot's voice heard hollaing at a distance.

LANCELOT

Sola, sola... wo ha, ho, sola, sola!

LORENZO

40 Who calls?

LANCELOT [*running in and out of the trees*].

Sola! did you see Master Lorenzo? Master Lorenzo? sola, sola!

LORENZO

Leave hollaing, man—here!

LANCELOT

Sola! where? where?

LORENZO

Here!

Ici même à Belmont ; — elle s'attarde
Près des calvaires saints en priant à genoux
Pour son bonheur conjugal.

LORENZO

Qui vient avec elle ?

STÉPHANO

Personne que sa suivante et un saint ermite...
S'il vous plaît, mon maître est-il déjà de retour ?

LORENZO

Non, et nous n'avons pas même eu de ses nouvelles.
Mais rentrons donc, Jessica, je te prie,
Et préparons avec cérémonie
Un accueil à la maîtresse de la maison.

Voix de Lancelot criant à une certaine distance.

LANCELOT

Sola, sola [32]... hou ha, ho, sola, sola !

LORENZO

Qui appelle ?

LANCELOT, *courant de-ci de-là*

Sola ! avez-vous vu maître Lorenzo ? Maître Lorenzo ? sola, sola !

LORENZO

Cesse tes cris, l'homme — ici !

LANCELOT

Sola ! où ? où ?

LORENZO

Ici.

LANCELOT

Tell him, there's a post come from my master, with his horn full of good news. My master will be here ere morning.

[he runs off.

LORENZO

Sweet soul, let's in, and there expect their coming.
50 And yet no matter: why should we go in?
My friend Stephano, signify, I pray you,
Within the house, your mistress is at hand,
And bring your music forth into the air...

[Stephano goes within.

How sweet the moonlight sleeps upon this bank!
Here will we sit, and let the sounds of music
Creep in our ears—soft stillness and the night
Become the touches of sweet harmony...

[he sits.

Sit, Jessica. Look how the floor of heaven
Is thick inlaid with patens of bright gold.
60 There's not the smallest orb which thou behold'st
But in his motion like an angel sings,
Still quiring to the young-eyed cherubins;
Such harmony is in immortal souls!
But whilst this muddy vesture of decay
Doth grossly close it in, we cannot hear it...

Musicians steal from the house and bestow themselves among the tress; they leave the door open behind them, and a light shines therefrom.

Come, ho, and wake Diana with a hymn!
With sweetest touches pierce your mistress' ear,
And draw her home with music.

[music.

JESSICA

I am never merry when I hear sweet music.

LANCELOT

Dites-lui que voici un courrier de la part de mon maître, avec sa corne pleine de bonnes nouvelles. Mon maître sera ici avant le matin.

Il sort en courant.

LORENZO

Chère âme, entrons attendre leur venue.
Et cependant c'est sans raison : pourquoi rentrer ?
Mon ami Stéphano, signifiez, je vous prie,
A la maison que la maîtresse est proche
Et amenez la musique en plein air...

Stéphano sort.

Comme avec douceur dort sur ces talus le clair de
[lune !
Asseyons-nous ici et laissons la musique
Nous envahir — ce doux calme et la nuit
Conviennent aux accents d'une tendre harmonie.
Assieds-toi, Jessica. Vois qu'au parquet du ciel
Sont, compacts, incrustés de brillants disques d'or.
Il n'est globe jusqu'au moindre que tu contemples
Qui, se mouvant, ne chante comme un ange [33],
Chœur éternel pour les chérubins aux yeux toujours
[jeunes ;
C'est l'harmonie des âmes immortelles !
Mais tant que notre habit de glaise périssable
L'enclôt grossièrement, nous ne pouvons l'entendre...

Les musiciens sortent de la maison et s'installent sous les arbres ; ils laissent ouverte derrière eux la porte d'où brille une lumière.

Venez, fêtez d'un hymne la veille de Diane !
Atteignez de vos plus doux sons votre maîtresse
Et ramenez-la chez elle par la musique.

Musique.

JESSICA

Je ne suis jamais gaie quand j'entends un air tendre.

LORENZO

70 The reason is, your spirits are attentive:
For do but note a wild and wanton herd,
Or race of youthful and unhandled colts,
Fetching mad bounds, bellowing and neighing loud—
Which is the hot condition of their blood—
If they but hear perchance a trumpet sound,
Or any air of music touch their ears,
You shall perceive them make a mutual stand,
Their savage eyes turned to a modest gaze
By the sweet power of music: therefore, the poet
80 Did feign that Orpheus drew trees, stones, and floods,
Since nought so stockish, hard, and full of rage,
But music for the time doth change his nature.
The man that hath no music in himself,
Nor is not moved with concord of sweet sounds,
Is fit for treasons, stratagems, and spoils,
The motions of his spirit are dull as night,
And his affections dark as Erebus:
Let no such man be trusted... Mark the music.

Portia and Nerissa come slowly along the avenue.

PORTIA

That light we see is burning in my hall...
90 How far that little candle throws his beams!
So shines a good deed in a naughty world.

NERISSA

When the moon shone, we did not see the candle.

PORTIA

So doth the greater glory dim the less—
A substitute shines brightly as a king,
Until a king be by, and then his state
Empties itself, as doth an inland brook
Into the main of waters... Music! hark!

LORENZO

La cause en est que vos esprits sont attentifs :
Remarquez un troupeau farouche et capricieux,
Ou une course de jeunes poulains sauvages,
Faisant des bonds fous, beuglant et hennissant fort
Selon le tempérament bouillant de leur sang,
Si par hasard ils entendent sonner la trompe
Ou qu'un air de musique atteigne leurs oreilles,
Vous les verrez s'arrêter d'un commun accord,
Leurs regards violents changés en timide extase
Sous le doux charme de l'harmonie : le poète [34] donc
Feignit qu'Orphée menât les arbres, les pierres, les
[flots,
Puisqu'il n'est rien de si brut, si dur et si plein de rage
Dont la musique, un temps, ne change la nature.
L'homme qui n'a pas de musique en soi
Et que n'émeut pas un concert de doux accents
Est propre aux trahisons, aux complots, aux rapines,
Ses désirs d'âme sont tristes comme la nuit
Et ses passions sombres comme l'Erèbe :
Ne vous fiez pas à pareil homme... Ecoute !

Portia et Nérissa viennent lentement le long de l'avenue.

PORTIA

Cette lumière qu'on voit brûle dans ma salle...
Que ce petit flambeau lance loin ses rayons !
Ainsi luit un bon acte en un monde méchant.

NÉRISSA

Lorsque luisait la lune on ne voyait pas ce flam-
[beau.

PORTIA

Ainsi la gloire plus grande éclipse la moindre —
Un régent luit brillamment comme un roi
Jusqu'à ce qu'un roi paraisse, et alors sa gloire
S'en va de soi comme un ruisseau des champs
A la masse des eaux... De la musique ! écoute !

NERISSA

It is your music, madam, of the house.

PORTIA

Nothing is good, I see, without respect—
100 Methinks it sounds much sweeter than by day.

NERISSA

Silence bestows that virtue on it, madam.

PORTIA

The crow doth sing as sweetly as the lark
When neither is attended: and I think
The nightingale, if she should sing by day
When every goose is cackling, would be thought
No better a musician than the wren.
How many things by season seasoned are
To their right praise and true perfection...
Peace, ho! the moon sleeps with Endymion,
110 And would not be awaked.

[the music ceases.

LORENZO

That is the voice,
Or I am much deceived, of Portia.

PORTIA

He knows me, as the blind man knows the cuckoo,
By the bad voice.

LORENZO

Dear lady, welcome home.

PORTIA

We have been praying for our husbands' welfare,
Which speed we hope the better for our words...
Are they returned?

NÉRISSA

C'est la musique de votre maison, madame.

PORTIA

Rien n'est bon, je le vois, que par les circonstances.
— Il me semble qu'ils jouent mieux qu'en plein jour.

NÉRISSA

C'est le silence qui fait leur charme, madame.

PORTIA

La corneille a le chant aussi beau que l'alouette
Quand nul n'y prend garde : et je pense
Que le rossignol, s'il devait chanter de jour
Quand chaque oie glousse, ne serait pas estimé
Meilleur musicien que le roitelet.
Ah ! que de choses, la saison les assaisonne
En vue de leur juste éloge et de leur vraie perfection !
Silence, oh ! la lune avec Endymion s'endort
Et ne veut pas être réveillée.

La musique cesse.

LORENZO

C'est la voix
De Portia, ou bien je me trompe fort.

PORTIA

Il me connaît comme un aveugle connaît le coucou :
A sa vilaine voix.

LORENZO

Soyez la bienvenue, madame.

PORTIA

Nous avons prié au succès de nos maris
Que, de ce fait, nous espérons bientôt meilleur...
Sont-ils de retour ?

LORENZO

Madam, they are not yet;
But there is come a messenger before,
To signify their coming.

PORTIA

Go in, Nerissa,
Give order to my servants that they take
120 No note at all of our being absent hence—
Nor you, Lorenzo—Jessica, nor you.

['a tucket sounds': voices are heard at a distance in the avenue.

LORENZO

Your husband is at hand, I hear his trumpet.
We are no tell-tales, madam—fear you not.

PORTIA

This night methinks is but the daylight sick,
It looks a little paler—'tis a day,
Such as the day is when the sun is hid.

'Bassanio, Antonio, Gratiano, and their followers' come up.

BASSANIO

We should hold day with the Antipodes,
If you would walk in absence of the sun.

PORTIA

Let me give light, but let me not be light,
130 For a light wife doth make a heavy husband,
And never be Bassanio so for me.
But God sort all... You are welcome home, my lord.

[Gratiano and Nerissa talk apart.

BASSANIO

I thank you, madam. Give welcome to my friend—
This is the man, this is Antonio,
To whom I am so infinitely bound.

LORENZO

Pas encor, madame ;
Mais un messager avant-coureur est venu
Signifier leur arrivée.

PORTIA

Entrez, Nérissa,
Ordonnez à mes serviteurs de ne savoir
Rien du tout de notre absence d'ici —
Ni vous Lorenzo — Jessica, ni vous.

"Fanfare" ; on entend des voix à une certaine distance dans l'avenue.

LORENZO

C'est votre époux qui vient, j'entends sa sonnerie.
Nous ne parlerons pas, madame, n'ayez crainte.

PORTIA

Cette nuit, me semble-t-il, n'est qu'un jour malade,
Il paraît un peu pâli — c'est un jour
Tel qu'est le jour quand le soleil se cache.

"Bassanio, Antonio, Gratiano et leur suite" arrivent.

BASSANIO

Il ferait jour en même temps qu'aux Antipodes
Si vous paraissiez en l'absence du soleil.

PORTIA

Que j'allège la nuit mais sans être légère,
Car à femme légère époux appesanti,
Et que jamais Bassanio ne soit tel pour moi.
Mais Dieu nous assortisse... Et soyez bienvenu, sei-
[gneur.

Gratiano et Nérissa parlent à part.

BASSANIO

Merci, Madame. Accueillez mon ami —
Il est cet homme, il est cet Antonio,
A qui je suis si infiniment obligé.

PORTIA

You should in all sense be much bound to him,
For, as I hear, he was much bound for you.

ANTONIO

No more than I am well acquitted of.

PORTIA

Sir, you are very welcome to our house:
140 It must appear in other ways than words,
Therefore I scant this breathing courtesy.

GRATIANO

By yonder moon I swear you do me wrong,
In faith I gave it to the judge's clerk.
Would he were gelt that had it for my part,
Since you do take it, love, so much at heart.

PORTIA

A quarrel, ho, already! what's the matter?

GRATIANO

About a hopp of gold, a paltry ring
That she did give to me, whose posy was
For all the world like cutler's poetry
150 Upon a knife, 'Love me, and leave me not.'

NERISSA

What talk you of the posy or the value?
You swore to me when I did give it you
That you would wear it till your hour of death.
And that it should lie with you in your grave.
Though not for me, yet for your vehement oaths,
You should have been respective and have kept it.
Gave it a judge's clerk! no, God's my judge,
The clerk will ne'er wear hair on's face that had it.

GRATIANO

He will, an if he live to be a man.

PORTIA

Vous devez lui être obligé en plus d'un sens
Car il paraît qu'il s'est bien obligé pour vous.

ANTONIO

Pas plus que je n'aie pu tout à fait acquitter.

PORTIA

Monsieur, vous êtes le très bienvenu chez nous :
Cela doit se montrer autrement qu'en paroles,
C'est pourquoi je restreins ces courtoisies verbales.

GRATIANO, *à Nérissa.*

Vous me faites tort, j'en jure par cette lune,
Sur ma foi, j'en ai fait le don au clerc du juge.
Pour ma part je voudrais que qui l'eut fût châtré
Puisque vous le prenez tant à cœur, mon aimée.

PORTIA

Une querelle, oh, déjà ! et à quel propos ?

GRATIANO

Pour un anneau d'or, une simple bague
Qu'elle m'avait donnée, dont la devise était
Commune ainsi que poésie de coutelier
Sur un couteau : « Aimez-moi, ne me quittez pas. »

NÉRISSA

Que nous chantez-vous de devise ou de valeur ?
Vous me juriez quand je vous la donnais
De la porter jusqu'au jour de la mort,
Et qu'elle irait au sépulcre avec vous !
Sinon à moi, du moins à vos serments si véhéments
Vous auriez dû avoir égard ; et la garder.
Donnée à un clerc de juge ! eh non, Dieu me juge,
Le clerc qui l'eut n'eut jamais un poil au menton.

GRATIANO

Il en aura s'il vit assez pour être un homme.

NERISSA

160 Ay, if a woman live to be a man.

GRATIANO

Now, by this hand, I gave it to a youth,
A king of boy, a little scrubbéd boy,
No higher than thyself, the judge's clerk,
A prating boy, that begged it as a fee—
I could not for my heart deny it him.

PORTIA

You were to blame, I must be plain with you,
To part so slightly with your wife's first gift,
A thing stuck on with oaths upon your finger,
† And riveted with faith unto your flesh.
170 I gave my love a ring, and made him swear
Never to part with it, and here he stands;
I dare be sworn for him he would not leave it,
Nor pluck if from his finger, for the wealth
That the world masters... Now, in faith, Gratiano,
You give your wife too unkind cause of grief.
An 'twere to me, I should be mad at it.

(BASSIANO

Why, I were best to cut my left hand off,
And swear I lost the ring defending it.

GRATIANO

My Lord Bassanio gave his ring away
180 Unto the judge that begged it, and indeed
Deserved it too; and then the boy, his clerk,
That took some pains in writing, he begged mine,
And neither man nor master would take aught
But the two rings.

NÉRISSA

Ouais, si femme assez vit pour être un homme.

GRATIANO

Mais, par ma main, je l'ai donnée à un jeune homme,
Un freluquet, un petit gars chétif
Et pas plus haut que toi, le clerc du juge,
Un gamin discoureur qui l'a mendiée pour son
[salaire —
Je n'ai pas eu le cœur de la lui refuser.

PORTIA

Vous êtes à blâmer, il faut crûment le dire,
De vous être défait avec tant de désinvolture
Du premier don de votre épouse,
Un objet mis avec serment à votre doigt
Et rivé, par la foi jurée, à votre chair.
J'ai donné, moi aussi, à mon bien-aimé une bague,
Lui faisant jurer de ne l'ôter point ; le voici, là :
J'ose jurer pour lui qu'il ne l'aurait quittée
Ni arrachée de son doigt, pour tous les trésors
Que possède le monde... Eh, ma foi, Gratiano,
Vous offrez trop cruel grief à votre femme !
Ah ! si cela m'advenait j'en deviendrais folle.

(BASSANIO

Je ferais mieux de couper ma main gauche et de
[jurer
Que j'ai perdu la bague en combattant pour elle.

GRATIANO

Monseigneur Bassanio donna sa bague
Au juge qui la lui mendiait et qui, vraiment
La méritait par trop ; puis le gamin son clerc
Qui avait eu la peine d'écrire a voulu la mienne,
Et ni lui ni son maître n'acceptèrent
Que les deux bagues.

PORTIA

What ring gave you, my lord?
Not that, I hope, which you received of me.

BASSIANO

If I could add a lie unto a fault,
I would deny it; but you see my finger
Hath not the ring upon it, it is gone.

PORTIA

Even so void is your false heart of truth...

[she turns away.

190 By heaven, I will ne'er come in your bed
Until I see the ring.

NERISSA

Nor I in yours,
Till I again see mine.

BASSANIO

Sweet Portia,
If you did know to whom I gave the ring,
If you did know for whom I gave the ring,
And would conceive for what I gave the ring,
And how unwillingly I left the ring,
When naught would be accepted but the ring,
You would abate the strength of your displeasure.

PORTIA

If you had known the virtue of the ring,
200 Or half her worthiness that gave the ring,
Or your own honour to contain the ring,
You would not then have parted with the ring...
What man is there so much unreasonable,
If you had pleased to have defended it
With any terms of zeal, wanted the modesty
To urge the thing held as a ceremony?
Nerissa teaches me what to believe—
I'll die for't but some woman had the ring.

PORTIA

Laquelle avez-vous donnée ?
Non celle que vous reçûtes de moi, j'espère.

BASSANIO

Si je pouvais ajouter mensonge à la faute,
Je nierais ; mais vous voyez que mon doigt
Ne porte plus la bague, elle est partie.

PORTIA

Votre cœur faux a si peu de fidélité !

Elle se détourne.

Par le ciel je n'irai jamais dans votre lit
Sauf à revoir la bague.

NÉRISSA

Et ni moi dans le vôtre
Que je ne revoie la mienne.

BASSANIO

Douce Portia,
Si vous saviez à qui j'ai donné cette bague,
Si vous saviez pour qui j'ai donné cette bague,
Et compreniez pourquoi j'ai donné cette bague
Et combien à regret j'ai quitté cette bague
Quand on ne voulait rien d'autre que cette bague,
Vous calmeriez l'ardeur de votre déplaisir.

PORTIA

Si vous aviez su la vertu de cette bague
Ou un peu du prix de qui donna cette bague
Ou que l'honneur était de garder cette bague
Vous ne vous fussiez pas défait de cette bague...
Existe-t-il un homme assez déraisonnable
(S'il vous avait souri de la défendre
Avec un peu de feu) pour avoir l'indécence
De réclamer un objet tenu pour sacré ?
Nérissa m'apprend ce qu'il faut en croire —
Que je meure si quelque femme n'a la bague.

BASSANIO

No, by my honour, madam, by my soul,
210 No woman had it, but a civil doctor,
Which did refuse three thousand ducats of me,
And begged the ring, the which I did deny him,
And suffered him to go displeased away,
Even he that had held up the very life
Of my dear friend... What should I say, sweet lady?
I was enforced to send it after him,
I was beset with shame and courtesy,
My honour would not let ingratitude
So much besmear it... Pardon me, good lady
220 For by these blessèd candles of the night,
Had you been there, I think you would have begged
The ring of me to give the worthy doctor.

PORTIA

Let not that doctor e'er come near my house.
Since he hath got the jewel that I loved,
And that which you did swear to keep for me,
I will become as liberal as you,
I'll not deny him any thing I have.
No, not my body, nor my husband's bed:
Know him I shall, I am well sure of it.
230 Lie not a night from home. Watch me, like Argus.
If you do not, if I be left alone,
Now, by mine honour, which is yet mine own,
I'll have that doctor for my bedfellow.

NERISSA

And I his clerk; therefore be well advised
How you do leave me to mine own protection.

GRATIANO

Well, do you so: let not me take him then,
For if I do, I'll mar the young clerk's pen.

ANTONIO

I am th'unhappy subject of these quarrels.

BASSANIO

Non, sur mon honneur, sur mon cœur, madame
Nulle femme ne l'a, mais un docteur en droit,
Qui me refusa trois mille ducats
Et demanda la bague et je la lui déniai
Et je souffris qu'il parte mécontent,
Lui qui avait vraiment sauvé la vie
De mon ami cher... Que vous dire, douce dame ?
Je me vis contraint de la lui faire porter,
J'étais obsédé de honte et d'obligation.
Mon honneur répugnait à voir l'ingratitude
Me tant salir... Pardonnez-moi, clémente dame,
Car par ces flambeaux sacrés de la nuit,
Je crois que vous m'auriez, présente, demandé
Ma bague pour la donner au digne docteur.

PORTIA

Que ce docteur jamais n'approche ma maison.
Puisqu'il a obtenu le joyau que j'aimais
Et que vous juriez de garder pour moi,
Je me ferai aussi généreuse que vous,
Je ne lui refuserai rien de ce que j'ai,
Non, ni mon corps, ni mon lit conjugal :
Oui, je le connaîtrai, de cela je suis sûre.
Ne découchez jamais. Gardez-moi comme Argus.
Si vous n'en faites rien, si je suis laissée seule,
Eh bien, par mon honneur qui est encore à moi,
J'aurai ce docteur pour mon compagnon de lit.

NÉRISSA

Et moi son clerc : soyez donc averti
De ce que vaut me laisser à ma propre garde.

GRATIANO

C'est entendu : mais qu'il ne se fasse pas prendre,
Car je vous gâterai la plume au jeune clerc.

ANTONIO

C'est moi le malheureux motif de ces querelles.

PORTIA

Sir, grieve not you—you are welcome notwithstan-
[ding.

BASSANIO

240 Portia, forgive me this enforcéd wrong,
And in the hearing of these many friends
I swear to thee, even by thine own fair eyes
Wherein I see myself—

PORTIA

Mark you but that!
In both my eyes he doubly sees himself:
In each eye, one. Swear by your double self,
And there's an oath of credit.

BASSIANO

Nay, but hear me...
Pardon this fault, and by my soul I swear,
I never more will break an oath with thee.

ANTONIO

In once dit lend my body for his wealth,
250 Which but for him that had your husband's ring
Had quite miscarried. I dare be bound again,
My soul upon the forfeit, that your lord
Will never more break faith advisedly.

PORTIA

Then you shall be his surety...

[she takes a ring from her finger.

Give him this,
And bid him keep it better than the other.

ANTONIO

Here, Lord Bassanio, swear to keep this ring.

BASSANIO

By heaven, it is the same I gave the doctor!

PORTIA

Soyez sans peine et malgré tout le bienvenu.

BASSANIO

Portia, pardonne-moi cette faute obligée
Et devant tous ces amis qui m'écoutent
Je te le jure par tes beaux yeux mêmes
Où je me vois —

PORTIA

Notez bien ce discours !
Dans mes deux yeux il voit double lui-même,
Un dans chaque œil. Jurez par votre double face,
On croira ce serment.

BASSANIO

Non, mais écoute-moi...
Pardonne la faute et sur mon âme je jure
Ne plus jamais briser un serment envers toi.

ANTONIO

J'ai une fois, pour son bonheur, gagé mon corps,
Lequel, sans qui reçut l'anneau de votre époux,
Eût été bien perdu. J'ose encor m'engager,
Sur garantie de mon âme, que votre maître
Ne violera plus jamais sciemment sa parole.

PORTIA

Vous serez donc son garant... *(elle ôte une bague de son doigt)*.
Donnez-lui ceci
Et commandez-lui de le garder mieux que l'autre.

ANTONIO

Jurez, Bassanio, de conserver cette bague.

BASSANIO

Ciel ! c'est la même que j'ai donnée au docteur.

PORTIA

I had it of him: pardon me, Bassanio,
For by this ring the doctor lay with me.

NERISSA [*shows a ring also*].

260 And pardon me, my gentle Gratiano,
For that same scrubbéd boy, the doctor's clerk,
In lieu of this last night did lie with me.

GRATIANO

Why, this is like the mending of highways
In summer, where the ways are fair enough.
What! are we cuckolds ere we have deserved it?

PORTIA

Speak not so grossly. You are all amazed:
Here is a letter, read it at your leisure—
It comes from Padua, from Bellario.
There you shall find that Portia was the doctor,
270 Nerissa there, her clerk... Lorenzo here
Shall witness I set forth as soon as you,
And even but now returned; I have not yet
Entered my house... Antonio, you are welcome,
And I have better news in store for you
Than you expect, unseal this letter soon,
There you shall find three of your argosies
Are richly come to harbour suddenly...
You shall not know by what strange accident
I chandéd on this letter.

ANTONIO

I am dumb!

BASSANIO

280 Were you the doctor, and I knew you not?

GRATIANO

Were you the clerk that is to make me cuckold?

PORTIA

Je l'ai eue de lui : pardonnez-moi, Bassanio,
Car, pour elle, le docteur coucha avec moi.

NÉRISSA, *montrant une bague.*

Pardonnez-moi aussi, mon gentil Gratiano
Car ce chétif garçon, le clerc du juge
Pour celle-ci, l'autre nuit, coucha avec moi.

GRATIANO

Ah ça, c'est comme réparer les grands chemins
En été, quand les chemins sont bien assez bons.
Quoi ! Sommes-nous cocus sans l'avoir mérité ?

PORTIA

Pas tant de grossièreté. Vous voilà tous ébahis :
La lettre que voici, lisez-la à loisir —
Elle vient de Padoue, de Bellario.
Vous y verrez que Portia était le docteur
Et Nérissa son clerc... Lorenzo que voici
Est témoin que je partis aussitôt que vous
Et viens de revenir ; je ne suis pas encore
Entrée chez moi... Antonio, soyez bienvenu,
J'ai en dépôt pour vous de meilleures nouvelles
Que vous n'attendiez : ouvrez vite cette lettre,
Vous y verrez que trois de vos galions
Sont soudain, richement chargés, entrés au port...
Non, vous ne saurez point [35] par quel hasard étrange
J'ai cette lettre en main.

ANTONIO

J'en suis muet !

BASSANIO

Étiez-vous le docteur sans que je vous connusse ?

GRATIANO

Étiez-vous le clerc qui me devait cocufier ?

NERISSA

Ay, but the clerk that never means to do it,
Unless he live until he be a man.

BASSANIO

Sweet doctor, you shall be my bedfellow—
When I am absent, then lie with my wife.

ANTONIO

Sweet lady, you have given me life and living;
For here I read for certain that my ships
Are safely come to road.

FORTIA

How now, Lorenzo?
My clerk hath some good comforts too for you.

NERISSA

290 Ay, and I'll give them him without a fee...
There do I give to you and Jessica,
From the rich Jew, a special deed of gift,
After his death, of all he dies possessed of.

LORENZO

Fair ladies, you drop manna in the way
Of starvée people.

PORTIA

It is almost morning,
And yet I am sure you are not satisfied
Of these events at full. Let us go in,
And charge us there upon inter'gatories,
And we will answer all things faithfully.

GRATIANO

300 Let it be so. The first inter'gatory.
That my Nerissa shall be sworn on is,
Whether till the next night she had rather stay,

NÉRISSA

Oui, mais ce clerc qui n'en eut jamais l'intention,
A moins qu'il vive assez pour être un homme.

BASSANIO

Bon docteur, vous serez mon compagnon de lit —
Quand je m'absente, alors couchez avec ma femme.

ANTONIO

Vous me donnez vie, chère dame, et de quoi vivre ;
Je lis ici qu'il est certain que mes vaisseaux
Sont bien rentrés au port.

PORTIA

Qu'en est-il, Lorenzo ?
Mon clerc a quelques réconforts pour vous aussi.

NÉRISSA

Oui, et je les offrirai sans salaire...
Je dois vous remettre à vous et à Jessica,
De par l'opulent Juif, acte de donation
Après sa mort, de tous ses biens à son décès.

LORENZO

Belles dames, vous versez la manne au chemin
De gens affamés.

PORTIA

Nous voici presque au matin,
Pourtant vous n'êtes pas, j'en suis sûre, édifiés
Assez sur ces événements. Rentrons
Et là imposez-nous vos interrogatoires,
Nous répondrons à tout avec fidélité.

GRATIANO

Ainsi soit-il. Le premier interrogatoire
Auquel répondra, sous serment, ma Nérissa,
C'est : lui plaît-il de rester sur pied jusqu'au soir

Or go to bed now, being two hours to-day:
But were the day come, I should wish it dark,
Till I were couching with the doctor's clerk...
Well, while I live I'll fear no other thing
So sore as keeping safe Nerissa's ring.

[they all go in.

Ou d'aller dormir à l'instant, deux heures avant
[l'aube ?
S'il était jour je voudrais qu'il soit nuit sur l'heure
Pour pouvoir coucher avec le clerc du docteur...
Mais, tant que je vivrai je n'aurai point d'autre souci
Que de garder cet anneau que Nérissa m'a commis.

Ils rentrent tous à la maison.

NOTES DU TRADUCTEUR

1. *André :* un vaisseau de ce nom fut pris aux Espagnols, par Essex en 1596, puis fort endommagé par la tempête en juillet 1597.

2. Référence à Matthieu V, 22 : Qui traitera son frère de fou sera condamné au feu de la géhenne.

3. *le philosophe pleurard :* Héraclite d'Éphèse.

4. *le Français s'en est porté caution :* allusion aux secours que les Français promirent souvent aux Écossais contre les Anglais.

5. *sa mère avisée :* Rébecca ; voir Genèse XXVII, 5 à XXVIII, 5.

6. *ce que Jacob fit :* voir Genèse XXX, 25 à 43.

7. *Un fruit du métal :* Bacon dit : « il est contre nature que l'argent engendre l'argent ».

8. Les *Sofis* ou Séfévides régnèrent sur la Perse de 1499 à 1736.

9. *Soliman II* le Magnifique : sultan ottoman de 1520 à 1560 ; cet allié de François Ier, ayant en vain assiégé Vienne, conquit une partie de la Perse.

10. Allusion aux proverbes populaires tirés de *II Corinthiens* XII, 29. (Le Seigneur m'a dit : ma grâce te suffit.)

11. *exhibent* : pour « inhibent ».

12. *reproche :* pour « approche ».

13. *Agar* qui s'est enfuie au désert pour n'être plus maltraitée (Genèse XVI, 6).

14. *Ardeur, adieu :* renversement du vieux proverbe « adieu, froidure » dont on saluait le départ d'un indésirable. — Les couplets contenus dans chaque coffret riment ou assonnent, en anglais, avec le nom du métal correspondant.

15. *Enfin :* ce mot qui ne fait pas partie du vers qu'il précède est sans doute signe d'un abrègement du texte.

16. *avoue et vis :* allusion au proverbe « avoue et sois pendu ».

17. Allusion, peut-être, au couronnement de Henry IV de France (fils de Jean de Gand) en 1394 à Chartres, parmi ses *sujets loyaux,* alors que les rebelles tenaient Reims.

18. Pour comprendre comment l'*indienne beauté* (*beauté* est dérisoire ici) est mise en parallèle avec les mauvaises causes, les erreurs

religieuses, la couardise, etc., il faut songer au racisme d'une époque qui abhorrait jusqu'aux chevelures brunes.

19. Vers incomplet.

20. Jeu de mots intraduisible sur *sum* (somme) et *some* (quelque).

21. Cette plaisanterie en prose peut être une addition.

22. Tout ce passage porte des traces de coupures.

23. Vers incomplet.

24. *Coagitation:* pour « cogitation ».

25. *qu'un porc bâille :* une tête de porc servie, gueule ouverte.

26. *la laineuse cornemuse :* souvent enveloppée de flanelle.

27. Toute l'argumentation qui suit est assez hors de situation. Elle semble moins destinée à attendrir le Juif Shylock sur le chrétien Antonio que, par-delà la pièce elle-même, peut-être un chrétien, le comte d'Essex, sur le pauvre vieux Juif (Lopez) qu'il était en train de juger.

28. *majesté redoutable* : « awe and majesty » selon le style officiel qui ajoute pour être compris de tous, le mot d'origine saxonne au mot d'origine française et prit l'habitude du dédoublement comme en témoigne le vers suivant (« dread and fear »).

29. Allusion à un supplément aprocryphe par rapport au canon juif du livre de Daniel où ce juge étonne non seulement par sa sagesse mais par sa jeunesse (Daniel XIII, 45).

30. *Barabbas :* le brigand juif libéré lors de la condamnation de Jésus (Jean XVIII, 39-40).

31. On a noté que Shakespeare transférait ici sur Didon le portrait que Chaucer avait tracé d'Ariane.

32. *Sola, sola... :* Lancelot imite la corne du courrier (et sans doute amuse le parterre).

33. Shakespeare pouvait avoir lu, dans le manuscrit, la traduction des premiers livres des « Essais », par Florio qui était, lui aussi, de l'entourage de Southampton. Montaigne disait : « Ce que les philosophes estiment de la musique céleste, que les corps de ces cercles étant solides et venant à se lécher et frotter l'un à l'autre en roulant, ne peuvent faillir de produire une merveilleuse harmonie, aux coupures et nuances de laquelle se manient les contours et changements des caroles des astres ; mais qu'universellement les ouïes des créatures, endormies comme celles des Égyptiens par la continuation de ce son, ne le peuvent apercevoir, pour grand qu'il soit. » (Livre I, chapitre XXIII : *De la coutume*).

34. *le poète :* Ovide, comme si souvent dans Shakespeare.

35. *Non, vous ne saurez point :* l'éditeur admire ici l'impudence du dramaturge.

TABLE

GF – TEXTE INTÉGRAL – GF

94/10/M5222-X-1994 – Impr. MAURY Eurolivres SA, 45300 Manchecourt.
N° d'édition 15602. – octobre 1994. – Printed in France.